MARCOS REY

CRÔNICAS PARA JOVENS

Seleção, Prefácio e Notas Biobibliográficas
ANTONIETA CUNHA

© Palma B. Donato, 2010
1ª Edição, Global Editora, São Paulo 2011
2ª Reimpressão, 2017

Jefferson L. Alves – diretor editorial
Antonieta Cunha – seleção
Cecília Reggiani Lopes – edição
Flávio Samuel – gerente de produção
Dida Bessana – coordenadora editorial
Emerson Charles/Jefferson Campos – assistentes de produção
Tatiana F. Souza – assistente editorial e revisão
Luigi Mamprin - Editora Abril – foto de capa
Eduardo Okuno – projeto gráfico e capa
Luana Alencar – editoração eletrônica

Obra atualizada conforme o **NOVO ACORDO ORTOGRÁFICO DA LÍNGUA PORTUGUESA.**

Dados Internacionais de Catalogação na Publicação (CIP)
(Câmara Brasileira do Livro, SP, Brasil)

Rey, Marcos
 Marcos Rey : crônicas para jovens / seleção, prefácio e notas biobibliográficas Antonieta Cunha. – São Paulo : Global, 2011. – (Coleção Crônicas para Jovens)

Bibliografia
ISBN 978-85-260-1580-7

1. Crônicas brasileiras I. Cunha, Antonieta. II. Título. III. Série.

11-05676   CDD-869.93

Índices para catálogo sistemático:

1. Crônicas : Literatura brasileira   869.93

Direitos Reservados

global editora e distribuidora ltda.
Rua Pirapitingui, 111 – Liberdade
CEP 01508-020 – São Paulo – SP
Tel.: (11) 3277-7999 – Fax: (11) 3277-8141
e-mail: global@globaleditora.com.br
www.globaleditora.com.br

Colabore com a produção científica e cultural.
Proibida a reprodução total ou parcial desta obra
sem a autorização do editor.

Nº de Catálogo: **3187**

MARCOS REY

CRÔNICAS PARA JOVENS

BIOGRAFIA DA SELECIONADORA

Maria Antonieta Antunes Cunha é doutora em Letras e mestre em Educação pela Universidade Federal de Minas Gerais (UFMG). Professora aposentada da Faculdade de Letras da UFMG, hoje coordena cursos de especialização da Pontifícia Universidade Católica (PUC-MG). Editora e pesquisadora na área de leitura e literatura para crianças e jovens, tem planejado, coordenado e executado vários projetos nesse campo, entre eles, o Cantinhos de Leitura, da Secretaria de Estado da Educação de Minas Gerais, adotado posteriormente em vários estados brasileiros. Foi a criadora e a primeira diretora da Biblioteca Pública Infantil e Juvenil de Belo Horizonte. Tem mais de trinta livros publicados, entre didáticos e de pesquisa. Por dois mandatos, foi presidente da Câmara Mineira do Livro. Foi secretária de Cultura de Belo Horizonte, de 1993 a 1996, e presidente da Fundação Municipal de Cultura de Belo Horizonte, de 2005 a 2008.

A CRÔNICA

Muito provavelmente, a crônica, se não é o gênero literário mais apreciado, é o mais lido no Brasil. Ela leva, sobre os outros, a vantagem de comumente se apresentar em jornais e revistas, o que aumenta muitíssimo seu público potencial. Outro ponto que conta a favor da crônica, considerando-se o público leitor em geral, é que ela é uma composição curta, uma vez que o espaço no jornal e na revista é sempre muito definido.

Mas essas mesmas características podem pesar contra a crônica: em princípio, ela é tão descartável quanto o jornal de ontem e a revista da semana passada, seja pela própria contingência de aparecer nesses veículos, seja pelo fato de, na maioria dos casos, correr o risco de não se constituir como página literária. Vira "produto altamente perecível" e realmente desaparece, a não ser em casos especiais: um fã ardoroso, que coleciona tudo do autor; um assunto palpitante para o leitor, que recorta e guarda o texto com cuidado; o arquivo do periódico...

Se o autor tem lastro literário e é reconhecido como escritor, crônicas suas, consideradas mais significativas, pelo assunto e pela qualidade estética, são selecionadas para virar livro – como é o caso deste que você começa a ler.

Digamos, ainda, que muitos consideram este um gênero literário tipicamente brasileiro, pelo menos com as características que assumiu hoje, e que conseguiu uma façanha: introduzir no cenário literário nacional um autor que só escreveu crônicas: Rubem Braga. Outros cronistas, antes e depois dele, eram ou são reconhecidos romancistas, poetas ou dramaturgos, como Machado de Assis, Rachel de Queiroz, Olavo Bilac, Cecília Meireles, Paulo Mendes

Campos, Affonso Romano de Sant'Anna, Carlos Drummond de Andrade, Ferreira Gullar, Alcione Araújo, Nelson Rodrigues...

Mas a crônica cumpriu uma longa trajetória até chegar ao que é, nos dias de hoje, no Brasil.

Inicialmente, na Idade Média e no Renascimento, o substantivo "crônica" designava um texto de História, que registrava fatos de determinado momento da vida do povo, em geral com o nome de seu governante, rei ou imperador. (Afinal, sabemos que a História, sobretudo a mais antiga, narrava os fatos do ponto de vista do vencedor.) E – claro! – essas crônicas não apareciam em jornais e revistas: contavam basicamente com os escrivães dos governantes. Assim, temos a *Crônica de Dom João I*, a *Crônica de Portugal de 1419*.

Esse sentido histórico da palavra pode aparecer, eventualmente, como recurso literário, usado pelo autor para fazer parecer que está escrevendo História. Convido você a conhecer dois belos exemplos disso em obras que já se tornaram clássicos da literatura mundial: a novela *Crônica de uma morte anunciada*, do colombiano Gabriel García Márquez, e o romance *A peste*, do francês Albert Camus.

No Brasil, a crônica nos periódicos veio importada da França, ainda em meados do século XIX, cultivada por escritores como Machado de Assis, José de Alencar, Raul Pompeia, que no jornal escreviam folhetins (romances em capítulos) e crônicas. E acredite: a crônica era sisuda, nesse tempo, e o folhetim era considerado "superficial", de puro entretenimento.

Como página séria, pequeno ensaio sobre temas políticos, críticas sociais, reflexões, durou muito tempo, embora, aqui e ali, aparecesse algum traço embrião do(s) estilo(s) da crônica atual.

É a partir da metade do século XX, com autores consagrados, como Vinicius de Moraes, Millôr Fernandes, Otto Lara Resende, entre outros já citados, que o gênero adquire, definitivamente, uma identidade brasileira, com o uso "mais nacional" da língua portuguesa, e possibilitando, liberdade quase absoluta, qualquer recorte que desejar dar-lhe seu autor.

De fato, observados os limites impostos pelo suporte em que aparece, a crônica torna-se um gênero em que cabe tudo – inclusive outros gêneros: casos, cartas, pequenas cenas teatrais, poemas, prosas poéticas, imitações da Bíblia, diários etc. Nela cabem também todas as abordagens, todos os tons, do lírico ou dramático ao mais refinado humor ou escancarado deboche.

Daí, talvez, o encantamento do leitor pela crônica: dificilmente ele não encontrará, no gênero, a forma e o tom literários que ele prefere.

As crônicas de Marcos Rey têm um traço distintivo: o humor, nas mais diferentes proporções. Nem quando fala de si mesmo, ou de uma situação em princípio dramática ou adversa, deixa de lado algum aspecto engraçado – o que não significa que o tema esteja sendo tratado leviana ou superficialmente. Como já salientaram muitos teóricos e humoristas em geral, a comicidade pode ser um caminho, entre muitos, para fazer o público refletir. Nas crônicas de Marcos Rey, o humor se vale da ironia – essa figura que todos nós usamos em alguma medida e que pretende dizer alguma coisa afirmando o seu contrário.

Essa característica, que aparece sempre nas suas obras e que encontrou na crônica um campo propício para seu exercício constante, parece ter sido a forma escolhida pelo autor para enfrentar os muitos percalços que a vida lhe reservou, até chegar à consagração.

Seu cenário preferido sempre foi a cidade de São Paulo, que ele conhecia como ninguém e que amava intensamente, mas com lucidez. Por isso mesmo, quando morreu teve suas cinzas espalhadas sobre a cidade, do alto de um helicóptero, por Palma, sua esposa – o seu anjo da guarda, como se verá mais adiante.

Antonieta Cunha

SUMÁRIO

Marcos Rey, quando rir é o melhor remédio 15
(Des)Venturas de um escritor 21
Memórias urbanas 23
O bom caráter 26
Gnomos na gaveta 29
Meu dia de sorte 32
Marketing oportunista 35
Salas de espera 38
Esses tipos inesquecíveis... 41
A Bahia do Comendador 43
Celebridades instantâneas 46
O clube dos ex 49
Correio sentimental 52
Manual do bajulador 55
O Pra Lua 58
Instantâneos da vida paulistana 61
O feriadão 63
Os domingos 66
Pequenos prazeres, grandes emoções 69
A esquina 72
Desculpe, foi engano 75
Chove chuva 78
Histórias verdadeiras (em quase tudo) 81
O nocaute inesquecível 83
Assédio sexual 86
O coração roubado 89
O rodízio do amor 92

Ah, meu primeiro amor! 95
Presente de Papai Noel 98
O que nos dita a moda!..101
Fica melhor em inglês 103
Viva a dupla caipira! 106
A ecologia dos anos 50 109
Cuidado: é agosto 112
Salvos pelo anjo da guarda 115
O romantismo está voltando 118
Amenidades em condomínio..121
O violinista mora ao lado 123
Cães de apartamento 126
O caminhão de mudança 129
Minha vida na garagem 132
O pingo 135
O buraco 138
Bibliografia 141

MARCOS REY,
QUANDO RIR É O MELHOR REMÉDIO

Será raro – raríssimo! – encontrar um leitor brasileiro com menos de quarenta anos que não tenha lido pelo menos um livro de Marcos Rey, ou visto um capítulo de *O Sítio do Picapau Amarelo* escrito por ele para a TV. Ele se tornou um criador de *best-sellers*, já na década de 1980, escrevendo obras, sobretudo policiais, para uma coleção na época já famosa: a Vaga-Lume, da editora Ática. É o autor, entre outros, de *O mistério do 5 estrelas* e *Dinheiro do céu* (editados atualmente pela Global Editora).

O sucesso dessas obras pôs o autor diante de um público desconhecido para ele, leitores que visitou nas escolas Brasil afora ou recebeu num sem-número de feiras de livros e bienais. Virou estrela rapidamente. Daí para a crônica foi um pulo, e em sua coluna da *Veja São Paulo* conquistou milhares de leitores.

Podemos dizer que a fama e o equilíbrio financeiro só chegaram nessa época, apesar de sua vida de escritor ter começado muito antes... Para entender esse reconhecimento tardio, de que ele sempre se ressentiu, é importante falar de alguns segredos de sua vida, guardados a sete chaves até pouco depois de sua morte.

Por que tanto mistério? A resposta está, pelo menos em parte, neste trecho de uma quase autobiografia, cujo título é *O caso do filho do encadernador*:

> Certos episódios, amargos, omiti, para não parecer muito depressivo e rancoroso. [...] Todos nós levamos

> vida dupla, a exterior, visível, e a do fundo. O escritor
> permanece lá embaixo mais tempo, recolhido.

Penetremos, então, na vida de Marcos Rey – na verdade, de nascimento, Edmundo Donato. (A própria mudança de nome tem a ver com seu grande segredo, apresentado adiante.)

Edmundo era filho de um encadernador famoso, Luiz Donato, que recebia escritores importantes em casa e os apresentava à família. Passaram por lá Monteiro Lobato, Cassiano Ricardo e Orígenes Lessa, entre outros. Luiz costumava atrasar um pouquinho a entrega do serviço, para que seus filhos, inclusive Edmundo, se deliciassem com leituras excelentes e fora do alcance da verba familiar.

Marianina, sua mãe, era leitora fervorosa da Bíblia, a qual também chegou às mãos do filho, que apreciou a leitura, embora não se tenha tornado um homem religioso.

Se era um valor e uma prática diária naquela casa, já tendo contagiado o pequeno Edmundo, a leitura se tornou para ele a tábua de salvação, única forma de afastar a trágica realidade, quando, aos doze anos, foi literalmente capturado e levado a um sanatório para tratamento de uma doença considerada, naquela época, um mal terrível: a hanseníase, mais conhecida como lepra.

Façamos um importante parêntese aqui: a hanseníase é, desde a metade do século passado, perfeitamente e até facilmente curável. Como sempre, quanto mais cedo é descoberta, mais cedo pode ser curada. Mas nós sabemos como a sociedade é cheia de tabus, e no campo das doenças isso fica muito visível: sabemos que a tuberculose é uma doença bastante simples de ser tratada e curada, temos informações precisas sobre o câncer (que não é contagioso), e sobre a Aids (e sabemos em que casos ela pode ser transmitida), mas, a toda hora, temos notícia de doentes sofrendo discriminação por causa delas. Nas primeiras décadas do século passado, os hansenianos eram procurados em suas casas, afastados de suas famílias, mantidos em total isolamento nos "asilos-colônia" e, conforme o caso, neles permaneciam até a morte.

Pode-se imaginar a total falta de recursos e de perspectivas desses sanatórios. Raramente alguma visita, poucas vezes algum fato novo, além do amanhecer e anoitecer vivo... Aí, o adolescente Edmundo lia, lia, lia... e escrevia. Queria ser como o irmão mais velho, Mário, que já experimentava até algum sucesso.

Numa visita do irmão ao asilo, Edmundo mostrou-lhe um conto, depois, outro. Um deles o irmão publicou na *Folha de S.Paulo*, já com o pseudônimo Marcos Rei, que mais tarde seria escrito com *y*.

A verdadeira razão da mudança de nome não era, como tentou justificar a família, a abundância de Donatos na cena literária – o do próprio irmão e o de Hernani Donato. A razão era muito mais forte: desvincular sua possível vida literária das atrocidades da história de Edmundo Donato e, sobretudo, tornar-se menos visível aos caçadores de doentes. Porque ele tinha decidido que, já curado, deveria fugir do asilo. Lá havia ficado por longos três anos e sete meses. E a fuga se deu em 1945.

Depois de uma passagem de mais de ano no Rio de Janeiro, onde a procura por esses doentes era muito mais amena, voltou para São Paulo.

O que fazia, nessa época, para sobreviver, física e mentalmente? Continuava lendo e escrevendo, sobretudo fazendo traduções, levadas pelo irmão. E, por intermédio de Mário, ele passou a escrever novelas de sucesso para a Rádio Excelsior.

Começou para Marcos Rey uma vida de muitas e diferentes atividades, que ele cumpria com grande responsabilidade, mas sem grande entusiasmo. Era uma questão de necessidade financeira, da qual não podia fugir: além do rádio, escreveu para o teatro, para publicidade e – acreditem! – para o cinema (especialmente pornochanchadas, estreladas por atores e atrizes de grande talento, hoje figuras consagradas da dramaturgia brasileira – no teatro e na televisão).

Para não se afastar muito de seus sonhos, frequentava os pontos onde se encontravam os escritores e expoentes das artes em São Paulo. Se, por um lado, essa vida essencialmente noturna o punha em contato com gente importante da literatura, por outro, o afastava de sua própria criação.

Um dia, já casado com Palma, que por 39 anos cuidou de todas as sequelas da doença com o mesmo cuidado que dedicava às finanças da casa, recebeu dela um ultimato: "Você vai parar tudo, para dedicar-se a escrever suas histórias".

Ele aceitou o desafio: deixou a noite e os empregos só de obrigação e voltou-se inteiramente para a literatura.

Por coincidência, decaía no Brasil a pornochanchada e começava a ascensão de um gênero literário: a literatura para jovens. O autor foi, então, convidado para participar da coleção Vaga-Lume, e o restante da história você já sabe – quase toda. Faltam poucos episódios...

Agora bem de vida, no final da década de 1980, Marcos Rey se ressentia do que ele considerava certo desdém dos críticos por sua obra literária. Afinal, àquela altura, já escrevera sete narrativas juvenis, onze livros de narrativas (crônicas, contos, novelas e romances) para adultos – alguns de peso, como *Memórias de um gigolô*, *Soy loco por ti, América!* e *O último mamífero do Martinelli* –, além de outras obras de ensaios e paradidáticas. (Outras tantas viriam mais adiante.)

Atribuía tal desconfiança a sua atuação como criador de textos para os meios de comunicação de massa (rádio, televisão e, especialmente, cinema), em alguns dos casos, por obrigação contratual, e de interesse ou gosto duvidoso.

Mas em 1986, apesar de sua descrença, foi eleito, por seus pares, membro da Academia Paulista de Letras, quase por unanimidade. E, em 1995, recebeu o troféu Juca Pato como Intelectual do Ano, oferecido pela Câmara Brasileira de Letras, depois de votação nacional.

Quando morreu, em 1999, pouco antes de completar 77 anos, era Marcos Rey um escritor realizado.

Edmundo Donato, esse tinha enterrado muito antes, ao transpor os altos muros do sanatório Padre Bento. Certamente, sobreviveu apenas nas entrelinhas das tantas obras que nos deixou Marcos Rey.

São linhas e entrelinhas desse grande cronista que você vai ler agora, numa seleção de suas páginas na *Veja São Paulo*.

Você verá que, com toda certeza, sua incontrolável vocação para fazer o outro rir, rindo ele também, foi uma bela defesa e resposta à vida.

A última crônica deste livro foi publicada seis dias depois de sua morte, ocorrida – quase uma provocação do cronista, que gostava de brincar e inventar casos – no dia primeiro de abril. Com o profissionalismo que sempre o caracterizava, a página tinha sido entregue com a devida antecedência.

(DES)VENTURAS DE UM ESCRITOR

MEMÓRIAS URBANAS

Dados, confissões e planos de um escriba

Confesso que sou tão tímido que estou sempre me apresentando, informando quem sou, fornecendo dados. Foi assim até com o recenseador. Mal ele entrou disse-lhe tudo que sabia a meu respeito, inclusive que detesto quiabo, que coleciono crachás e que assisti à segunda metade de *... E o vento levou*. Devia ter péssima memória, pois anotou algumas coisas. Quem vive entre 10 milhões de outras pessoas às vezes não consegue identificar qual delas a gente é. A não ser quando nos empurram. Por isso pedi ao recenseador que passasse ao menos uma vez por mês em casa. Ele saiu às pressas, talvez com receio de que meu *chihuahua* o atacasse.

Nasci aqui mesmo em São Paulo e quando completei três anos meu pai me levou para ver o Edifício Martinelli, explicando que eu escolhera a cidade certa para vir ao mundo, pois outras crianças só tinham o mar, o céu, as montanhas e as campinas para ver. Éramos pobres, mas ele logo me animou:

– O conde Matarazzo também começou com pouco, com 2,5 quilos.

Então tudo me pareceu mais fácil. Alguma ilusão sempre ajuda.

Nas primeiras décadas de minha vida não fiz nada, por falta de tempo, mas cansado desse esforço um dia comecei a escrever. Escrevi um romance imenso e complicado ao qual chamei *Ulysses*, porém logo descobri que já haviam escrito um com o mesmo título e exatamente igual. Coincidências acontecem.

Decidi então escrever compulsivamente sobre Paris partindo de cartões-postais: tinha três. Foi quando um amigo sugeriu:

– Por que não escreve sobre São Paulo? É muito mais perto e quando chove basta ficar à janela.

Ainda hoje me sinto grato a esse amigo. E quando ele morreu solicitei dois minutos de silêncio em sua homenagem. Sim, dois. Ele era muito gordo.

A época era propícia às artes em geral. Estávamos nos anos dourados, muito decorativos, mas que causavam certo embaraço à combinação de cores. Minhas gravatas, por exemplo, sempre destoavam do amarelo.

Não escrevi apenas livros. Fiz um filme. Um tanto obscuro, é verdade. Tanto que alguns cinemas o exibiam com as luzes acesas para que os espectadores que saíssem antes do final não tropeçassem. Achei uma boa providência. Mas não fez sucesso. Tudo devido a um erro ou precipitação, segundo o diretor. Se tivéssemos vendido saídas no lugar de entradas, eu teria ficado rico.

Também fiz anúncios. O mais comentado foi o de um cola--tudo. Chamava a atenção devido ao retrato de Van Gogh. Com as duas orelhas. Mas uma colada ao contrário. O título: "Agora não tem mais jeito, ruivo!".

Depois veio a televisão. Escrevi um belo trabalho: *Tudo no escuro*. Desenvolvido num total *black out*. A censura, porém, proibiu-o por suspeita de pornografia mentalizada. O que no escuro? Seria, no entanto, liberado se ao menos um dos personagens usasse um farolete. Recusei. O que adiantaria? A história se passava num instituto de cegos!

Mas o que mais produzi foram livros mesmo. O primeiro não foi bem, porém me entusiasmei ao ouvir: "*Play it again, son*". Não poderia dizer não a minha mãe. Porém, só ao publicar o vigésimo foi que cheguei afinal ao completo anonimato.

Agora estou escrevendo um volume de memórias. Curiosamente, localiza-se totalmente no futuro. Não deixem de perder. É original e não dói o trabalho chato de ficar lembrando fatos. Todo escritor tem seu macete. Começa assim: "No mês em que nasci, São Paulo estava coberta de neve".

E para que ninguém conteste isso de neve, direi o mês, mas não o ano.

O BOM CARÁTER

Um pouco de fel às vezes ajuda

Ele gosta de alardear conhecimentos enciclopédicos mesmo durante uma viagem de elevador. Havendo ou não espaço, sempre tenta se mostrar um sabe-tudo. E, se surpreendido por uma pergunta inesperada, sabe fazer aquela cara esperta de quem não se embaraçou. Observei-o numa dessas situações quando certa pivetinha, pouco mais jovem que ele, lhe perguntou quem era ou fora um figurão chamado Harry Truman. Para ela, o ex-presidente americano era nome pré-histórico.

– Harry Truman... Você não sabe? Não?
– Por quê? É feio não saber?
– Claro que é. Anote, menina. Harry Truman é um escritor americano que escreveu em russo um conto famoso, "O capote", passando daí a ser mais conhecido como Truman Capote, percebe?

Se lhe perguntassem quem foi o aiatolá Khomeini, diria: um exigente crítico literário que mandava até matar o autor de obras que lhe desagradassem.

Pode parecer exagero, caricatura, mas eu o ouvi, não entendo por qual associação de ideias, confundir Picasso com Bocage. Anedotas de Picasso, quadros de Bocage. O que um tem a ver com o outro? Ou tem?

Certo dia ele me procurou aflito e abriu-se todo. Era a primeira vez que o referido se vestia de humildade. Estava desempregado e sem ninguém que o auxiliasse. Nem família tinha, revelou. Aquela pinta toda, o tom de voz, a mania de exibir conhecimentos – usava para encobrir a vida dura que levava. Confessou também sua ignorância. Pensava que Umberto Eco fosse apelido de algum cantor de voz poderosa.

– Não, é um escritor...

– Agora eu sei. Escreveu *A insustentável leveza do ser.*

– Não, escreveu *O nome da rosa.*

– Tem certeza?

– Quer trabalhar num jornal? – socorri. – Tenho um amigo num deles. O que poderia fazer na imprensa?

– Creio que apenas servir café.

Apreciei a sinceridade. Humanizara-se. Mas era melancólico, tratando-se de um rapaz que costumava brilhar nos bares dos Jardins, impressionando as *teens* que se sentassem à mesa.

Redigi um bilhete destinado ao amigo editor, apresentando o jovem necessitado. "Um moço castigado pela vida, mas que merece ter a sua vez neste mundo repleto de nulidades." Certamente nenhuma palavra sobre as limitações do meu apadrinhado.

Dias mais tarde o moço veio me procurar, sorrindo.

– Você tem cartaz no jornal. Estou empregado.

– Ótimo, mas leve o trabalho a sério mesmo começando por baixo...

– Não vou começar tão por baixo assim. Sou crítico.

– (*Num único arregalo.*) Crítico de quê?

– Por ser seu amigo, tive várias colunas à escolha: cinema, turfe, teatro, artes plásticas, economia, TV, palavras cruzadas, literatura...

Sorri ao ouvir a última.

– E qual escolheu?

– Adivinhe. Não, eu digo. Literatura.

– Por que não escolheu cinema? – escandalizei-me.

A resposta estava pronta:

– Muita gente entende de cinema. Filmes são assistidos por centenas de milhares de pessoas, percebe? Já literatura não. Pouco se lê no país. Além do mais, livros têm orelhas, que contam o que está no meio deles, percebe?

– Receio que você vá ficar apenas no oba-oba.

– Por isso vim lhe pedir que me ensine a encontrar defeitos. A colocar fel.

Fel. Quem não tem um pouco na despensa? Ele fez a mão mole, e eu a conduzi com minha experiência. Em cada resenha sempre uma dose de fel. Não perdoava ninguém. Logo ficou temido e aplaudido.

Anos depois, ao publicar um livro, abri o jornal e... Desta vez a vítima era eu. Disse um palavrão com a sonoridade que o caso exigia e liguei rápido para a redação. Difícil localizá-lo. Estava importante. Atendeu-me apressado.

– Gostei do livro, colega, mas andavam dizendo que era você que punha veneno nas minhas críticas, que dava o tchã. Agora que o desanquei não dirão mais, percebe?

Mas não ficou muito tempo como crítico literário. Agora escreve sobre economia. Pagam melhor. Percebem?

GNOMOS NA GAVETA

Não acredito neles. E daí?

Tive um parente que sempre contava ter visto um gnomo ciclista passar por ele, rente ao chão, segurando o guidom da bicicleta com a mão esquerda, enquanto com a direita lhe fez um dilatado gesto obsceno. Cafajestinho! Ouvi-o contar isso dezenas de vezes a partir de uma época em que os gnomos não estavam na moda. Convivência mais longa com esses seres diminutos teve meu amigo Egydio, que me assegurou haver enclausurado um deles na gaveta de sua escrivaninha.

– Com o canto dos olhos, eu o vi espiar a gaveta, alguns centímetros aberta. Não satisfeito, resolveu entrar. Pum! Fechei-a com uma cotovelada.

– Ainda está lá dentro?

– Está. Com um conta-gotas, tenho pingado água na gaveta para ele não passar sede. E jogo farelos de biscoito para alimentá-lo.

– Vocês conversam?

– Não, porque pelo traje ele é tirolês ou austríaco. Além do mais, os gnomos só se comunicam com os humanos telepaticamente.

– O que pretende agora?

– Tentarei com uma linha transferi-lo para uma garrafa. Como se faz com miniaturas de navios. Com um gnomo engarrafado, espero ganhar uma fortuna. Duvida?

Mas o gnomo escapou graças a uma empregada que abriu a gaveta, embora advertida para mantê-la fechada. Eles, espertos, sabem influir nas pessoas, enviar certas ordens.

Essa intenção de ganhar dinheiro com o esotérico, incluindo ou não gnomos, fadas ou duendes, faturar no astral, no invisível, tornou-se ideia fixa para minha mulher. Estávamos numa pior e tínhamos de sair do buraco.

– Por que não escreve um livro do tipo Shirley MacLaine? – ela sugeriu. – O povo não está suportando mais essa realidade poluída. Sufoca, pesa, cheira mal. O que se quer é embarcar na fantasia, comunicar-se com extraterrenos e seres lendários. Entende?

Argumentei que nasci materialista e com o tempo fui ficando mais ainda. Nunca transei o esotérico. O mundo para mim é justamente esse que está aí, grosseiro, fedido, perigoso.

– Os gnomos não existem! – garanti, bradando. – Tudo não passa de mais um jeitinho de ganhar dinheiro. Nada do que se diz sobre eles tem o menor fundamento. É piração.

A cara-metade estranhou a veemência.

– Você pode provar?

– Provar o quê?

– Provar que os gnomos não existem? Se puder, pondo tudo num livro, bem explicadinho, ótimo. Escrever contra eles e as ondinas, salamandras e silfos talvez também dê dinheiro. Nosso problema é financeiro, não importa se contra ou a favor.

Fazia sentido. Retirei-me para pensar. Minutos depois já tinha o título da obra: *Não acredito em gnomos. E daí?* Ela aprovou o tom agressivo do título. Desafiador. Consultei um editor, que me deu o sinal verde.

– Vá em frente. O polêmico sempre vende bem.

Antes de começar a escrever, teria de ler tudo sobre a matéria. E não só em português. Minha consorte se dispôs a me auxiliar. Depois da leitura geral, registramos as observações em dezenas de fichas. Uma boa organização ajuda. Dividi o livro em partes. Cada uma com dez capítulos. Mostrei a planificação ao editor. Animado, decidiu me dar um adiantamento. Voltei radiante, exibindo o cheque.

– Acabe com eles – disse-me minha mulher.

– Com quem?

– Com os gnomos. Arrase.

Fui à máquina de escrever e bati num meio de página: *Não acredito em gnomos. E daí?*

Estou com o livro todo nas pontas dos dedos. É só escrever uma frase e sai tudo como pisar num tubo de pasta de dente. Mas não está dando. Não está mesmo. Ele dificulta, impede. Olha para mim gozador e com a mão direita faz gestos obscenos. Quem? O maldito homenzinho de cinco centímetros, dando voltas de bicicleta ao redor de minha máquina de escrever. Quer me enlouquecer.

Uso o aspirador?

MEU DIA DE SORTE

Quando o sucesso pesa e incomoda

Sempre que conto o fato, ouço a sugestão: escreva sobre isso, é engraçado. Ora, ele me parece pessoal demais, respondia, um tipo de experiência rara, não abrange grande público. Mas outro dia me convenceram. Devia contar a história, sim. Será até uma espécie de advertência aos que correm atrás da fama, afirmaram. E a cena no aeroporto é formidável. Meu filho, Dudu, que vive na Groenlândia, quando estava de passagem pelo Brasil também curtiu o caso e animou-me a convertê-lo em crônica.

– O que é a crônica senão pedaços de vida?

– As minhas, geralmente, não refletem a realidade, Dudu. Mas vou nessa, me aguarde.

Eu estava escrevendo uma novela na TV Globo, *Cuca legal*, e, quinzenalmente, viajava para o Rio a fim de discutir os rumos que ela tomaria. Sempre ao chegar, uma secretária me informava:

– Pediram para apanhar os recortes de jornais, na diretoria, com o Pacote.

Eram notícias sobre a novela, reportagens, entrevistas, capas de revistas. Porém, nunca tinha tempo para ir à diretoria. Mal pisava a emissora, participava de infindáveis reuniões, que me deixavam tonto. Na próxima vez, adiava, apanharia os recortes. Na verdade preferia dar uma esticada no La Fiorentina, o alegre restaurante do Leme, lotado de colegas e mulheres compreensivas.

A novela aproximava-se do final quando o pedido da secretária assumiu o tom de ordem:

– Por favor, vá buscar sua papelada. Está causando transtorno.

Subi afinal ao andar dos caciques e perguntei pelos impressos. Apontaram para um canto. O que vi foi, encostado à parede, um saco plástico, transparente, de cerca de meio metro de altura, cheio até a boca. Cheio de quê? Recortes.

– Vim buscar só os da minha novela.

– Aí só tem os seus. Quase seis meses de divulgação em centenas de cidades, em todos os estados do país.

Ergui o saco um palmo.

– É pesado.

– A fama é passageira, mas tem seu peso.

– Podia deixar aí?

– Nem pense nisso. Todos implicam com ele.

Deixei a diretoria arrastando a carga pelo corredor. No elevador alguém fez cara feia quando entrei com aquilo nas costas. Atravessei todo o saguão como um incômodo Papai Noel. Fui colocar-me à guia da calçada para pegar um táxi que me levasse ao Santos Dumont. Foi difícil entrar com aquele trambolho no carro. Quem me conhece sabe como sou desajeitado. A caminho fui lendo um ou outro recorte. Diabo, pouco se ocupavam do autor. Eu me matava tanto e só elogios a Francisco Cuoco, Yoná Magalhães e Françoise Fourton. O que fazer com tal montanha de papéis? Colar tudo em cem álbuns? Minha mulher, com problemas de espaço no apartamento, pediria o divórcio. Mas, ocorreu-me, um saco daquele tamanho não poderia viajar comigo no avião, como uma pasta ou pequeno embrulho. Teria de despachá-lo, mas como se não estava fechado nem convenientemente embalado? Seria obrigado a sair pelo aeroporto à procura de um caixote ou sei lá o quê. Tive uma ideia: esquecer os seis meses de sucesso da novela no táxi. Sentado no banco traseiro, era possível. Olhei o taxímetro e puxei a carteira. Assim que o carro parou à entrada da ponte aérea, paguei e saí correndo. Logo ouvi a voz.

– Moço, o senhor esqueceu...

Entrei velozmente no Santos Dumont e refugiei-me no toalete. Minutos depois, dava uma espiada, como quem fila cartas de baralho, e via o motorista aos balcões, aflito, carregando o maldito saco de recortes. Apenas abandonei o esconderijo quando não o vi mais.

A história poderia acabar aqui, mas o destino quis mais. Já estando a novela fora do ar, tive de voltar à emissora. Quem estaciona, no aeroporto, para me atender? O motorista que ficara com minha carga de impressos. Sorria-me.

– Vai recuperar algo que esqueceu no meu táxi. Está no porta-malas.

– Eu esqueci?

– Aquele saco cheio de jornais. Em muitos está seu retrato. Hoje é seu dia de sorte, não?

MARKETING OPORTUNISTA

Vamos também faturar com os dinossauros?

Parece que a sabedoria dos anos 90 localiza-se nos extremos, não no meio, como sempre é quando se busca o equilíbrio das coisas. Sábio e proveitoso agora é lidar com os pequeninos gnomos, que voam ao impacto de um espirro, ou com os dinossauros grandalhões de até cem toneladas de peso. Quanto a estes, Spielberg que o diga, ele, o gênio da arte tão bonita e respeitável de ganhar dinheiro. O meio não está com nada. As minas de ouro encontram-se nas pontas do mapa.

Um amigo meu chegadíssimo ao marketing oportunista, e que sempre procurou faturar com os caprichos da moda, comentou:

– O inteligente é meter os dinossauros nos negócios, sejam filmes, músicas, camisetas, qualquer coisa. Está escrevendo um novo romance, não?

– Estou. É sobre o velho triângulo amoroso, dois homens apaixonados pela mesma mulher – contei, mais para me livrar do importuno marqueteiro.

– A ideia é velha, sim. Meta um dinossauro carnívoro, feroz, perseguindo esses três tarados.

– Como posso fazer isso? O romance se passa nos tempos atuais, entendeu?

– Não faz mal, ponha o dinossauro assim mesmo.

– Ora, trata-se de uma história urbana, não acontece em nenhuma floresta desconhecida.

– Melhor ainda! – exclamou, como se vindo em meu socorro. – Já imaginou o tal dinossauro no Viaduto do Chá, na hora do *rush*, pisando nos carros, derrubando postes, engolindo marreteiros?

Fui para casa impressionado com tal mau gosto e apetite comercial. Transmiti a sugestão absurda à minha mulher. Os três amantes perseguidos por um apavorante dinossauro em pleno viaduto. Esperei que ela morresse de rir, não morreu.

– Podia ser um tiranossauro rex, que tinha quinze metros de altura – ela optou. Ignorava que entendesse de dinossauros.

– Pensou no ridículo?

Seu pensamento estava noutra direção.

– Será que um romance com esse bicho como personagem daria dinheiro? – perguntou, sonhando com uma viagem de férias.

– A minha é uma história romântica. Não cabe um...

– Daria dinheiro?

– Não quero escrever outro *King Kong*, *darling* – protestei.

– E o *King Kong* por acaso foi um fracasso?

Aquela noite sonhei com dinossauros. Ainda nossos contemporâneos, continuavam habitando o planeta. Olhei pela janela e vi o pescoço de um seismossauro de 42 metros. O animal carregava um monumental ar de resignação e um cartaz duplo com fotografia e dizeres: "Para senador, votem em Licínio Ribas". Ótima bolação: dinossauro transformado em *outdoor* ambulante. Desci para a rua e fui seguindo. O que vi me surpreendeu. Diversos iguanodontes de dez metros de altura, pesando cerca de quatro toneladas, andavam ordeiramente em fila e, com a capacidade de muitos caminhões, carregavam imensas cargas. Sem queimar óleo ou gasolina. Num espaçoso terreno baldio, li: "Rent a dinos". Aluga-se dinossauro para propaganda, transporte de carga, guarda de grandes propriedades e passeios turísticos. Crianças adoravam passear de apatossauro, cujo comprimento ultrapassava 21 metros. Descobri, porém, que nem todos apoiavam a exploração dos dinossauros. Havia um forte movimento contrário, que fazia protestos em alto-falantes e distribuía folhetos.

– Eles estão em extinção em todo o mundo – diziam. – Escravizados pelo homem, desaparecerão rapidamente. E, por favor, não comam carne de dinossauro.

Logo além, todo acorrentado, estava um gigantesco tiranossauro rex. Perguntei a um defensor de dinossauros por que o imobilizaram daquela forma. Respondeu que o animal fora colocado naquele desconforto para simples publicidade sensacionalista de uma história de amor triangular.

– E a história fez sucesso? – perguntei.

– O romancista inescrupuloso ganhou milhões – foi a invejosa resposta.

Acordei e fui à cozinha. Minha mulher somava contas a pagar.

– Sabe de uma coisa, *darling*? – lembrei. – Aquela ideia do dinossauro no viaduto é coisa de louco, sim, mas quem não o é hoje em dia?

SALAS DE ESPERA

O que acontece antes da consulta, do teste, do pedido de empréstimo...

Mesmo com decoração agradável, ar-refrigerado, sorrisos de uma atendente *sexy*, ficar plantado numa sala de espera é mais chato do que campeonato de boliche. Seus personagens não pertencem a um elenco muito variado: a criança que não para de se mexer e adora desamarrar sapatos, a gorducha louca para penetrar na intimidade das pessoas e aqueles leitores compulsivos de revistas, na verdade apavorados com aventais e boticões. Mesmo lendo os textos mais cômicos, não sorriem jamais.

Algumas salas gravam-se a ferro e fogo em nossa lembrança. Hoje, em pesadelos, retorno à sala de espera do gerente de certo banco, no centrão. Um espaço frio e sóbrio, tendo à parede apenas um quadro com uma imagem, não identificava se de Cristo ou Tiradentes. A segunda possibilidade era assustadora para quem, já com a corda no pescoço, dependia de um empréstimo.

Depois de duas horas de espera, aparecia sorridente uma bela secretária explicando, com 32 dentes à mostra: o gerente fora convocado às pressas para uma reunião; seríamos recebidos no dia seguinte. Isso acontecia pela terceira vez na semana. Às vezes atendia prontamente, mas consumia o tempo com poucas entrevistas. O banco não abria o cofre assim, fácil. Exigia garantias, avais, comprovantes. Eu trocaria aquele gerente por um dentista sádico, doido para arrancar dentes. Aquela sala de banco dava-me até saudade. Entre cada cliente, o dentista sempre aparece para dar uma olhada no faturamento à sua espera. O gerente-geral não, nunca dava as caras, a pilotar compenetrado e solitário em seu gabinete o poderoso encouraçado financeiro.

No banco, eu e aquele grupo éramos de uma pontualidade absoluta. Mal abria o expediente, ocupávamos a sala de espera vestidos de escuro, em todos os tons da confiabilidade. Um do grupo tinha o hábito de marcar com os dedos sobre a mesa os compassos de um infinito *Bolero*, de Ravel. Ao seu lado, um homem-usina tremia a perna o tempo todo fazendo vibrar móveis e vasos da sala. Sempre havia quem fumasse charuto, símbolo, talvez, de dias melhores. Um tomava comprimido de quinze em quinze minutos, olhados no relógio, provavelmente – bum! – à beira do enfarte. Outro plantava-se de pé à janela para despejar sua aflição sobre a cidade. Tive a impressão de que se atiraria daquele vigésimo andar. Aguardava, desejoso. Assim, eu invadiria a gerência berrando:

– Veja, um já se matou! Empreste-nos dinheiro ou todos nós nos atiraremos pela janela!

Houve outra sala de espera terrível em minha vida. Precisava de emprego. Desesperadamente. Não fora o primeiro a chegar, sempre há os que chegam antes. Fiquei horas com os olhos fixos na porta da esperança. O mais madrugador entrou como se já fosse dono do emprego, saiu de cabeça baixa, perdição. O segundo, que levava à mão um currículo enorme, deixou a entrevista picando-o em mil pedacinhos, odiosamente.

Minha vez. Entrei trêmulo, pálido, derrotado. O empresário abriu os braços, sorrindo. Conhecia-me, conhecia-o. Rodolfo! Não o sabia também dono daquilo. Meu dia de sorte!

– Mas é você mesmo? Aqui está seu maior fã! Li dois livros seus. Minha mulher disse que sairá outro. Serei o primeiro a comprar.

Abraçado, senti que o mundo afinal acolhia este aquariano.

– Estava na sala de espera desde as duas, Rodolfo.

– Por que não mandou me avisar? Eu o receberia imediatamente. Não calcula como o admiro. Que emoção!

– Agora estou precisando de um emprego, amigo. A vida está dura.

– Dura? Está duríssima! Insuportável – confirmou, com uma pequena ressalva. – Mas não para os artistas. Vocês não sofrem nossos problemas. Devem rir da gente, reles homens de negócio. Invejo-os. Sinceramente. Como gostaria de ter talento! Viveria com pouco dinheiro, porém feliz. Eu aqui sou um sofredor, um mártir dos números.

– O que poderia me arranjar, Rodolfo? Estou encalacrado. Qualquer coisa serve – revelei, humilde.

Ele lançou-me um olhar mais sábio do que compadecido:

– Eu não o desviaria de sua vocação com um empreguinho. Conserve-se fora da maldita engrenagem. É o importante: fora da engrenagem.

E confessou:

– Hoje ganhei o dia, vendo-o. Vou acompanhá-lo ao elevador.

– Mas Rodolfo...

– Faço questão.

ESSES TIPOS INESQUECÍVEIS...

A BAHIA DO COMENDADOR

Ele conhecia a vida noturna até do Havaí

Quem já circulava pela noite paulistana nos anos dourados certamente conheceu o Egas Muniz. Boêmio histórico, respeitado, com *status* de monumento, era logo a distância reconhecido pelo seu cabelo prateado contrastando com um pretíssimo bigode de nanquim. Jornalista, foi um dos primeiros a manter em São Paulo uma coluna diária dedicada ao noticiário radiofônico e às atrações noturnas da cidade. Assinava-a *O Comendador*, como aliás gostava de ser chamado, embora nunca se soubesse se realmente era titular de alguma comenda ou insígnia. De ordem religiosa duvido que fosse.

Certa noite em que encontrei o Egas numa das etapas de seu itinerário, bar ou restaurante, não lembro, expus-lhe um aflitíssimo problema.

– Vou viajar, comendador, férias, mas não decidi se para o Rio ou Buenos Aires.

O comendador tirou-me da hesitação:

– Nem Rio nem Buenos Aires. Vá para Salvador. A Bahia tem a melhor noite do continente. Garçom, papel, por favor!

O papel era para desenhar o mapa da mina.

– Não precisa escrever, tenho boa memória.

– Preciso, você não pode se perder por lá – advertiu o comendador. – Primeiro vá ao Clock. É uma boate que entra para o mar. Ao amanhecer os fregueses bebem vendo os saveiros. Lindo! Em seguida passe pelo XK-bar. Cada mesa é iluminada por luzes coloridas. Escolha a cor da iluminação combinando com a moça que levar, loura ou morena, entende? A boate Carijó, no centro da cidade, é pequena e modesta, vale pelo pianista. Um gênio. Outro bom endereço é a Manhattan, no palácio do governo. Entre pelo portão principal e vire à esquerda. Vou anotar aqui.

– Já basta.

– Não, você não pode deixar de conhecer a Churrascaria Hides, na Baixa do Sapateiro.

– Detesto churrasco.

– E quem disse que servem churrasco? A Hides não tem cozinha. Em compensação, se pedir ficha amarela poderá passar a noite lá...

Na mesma semana, a bordo de um lento Scandia, eu voava para Salvador. Quinze dias modelares. E como me ajudaram o mapa e as informações do comendador! A boate Clock era uma península etílica. Uísque e natureza! O XK-bar um cenário para filmes musicais da Metro. Bom mesmo o pianista da Carijó! Entrava-se na Manhattan, sim, pelo portão do palácio do governo. E a Churrascaria Hides, de fato, não servia nenhum tipo vulgar de carne.

Ao voltar, claro, procurei logo o comendador. Encontrei-o no ponto final de seu itinerário, o Parreirinha, à mesa, acompanhado por duas pessoas. Interrompendo o papo dos três comecei a descrever minhas férias, agradecendo-lhe uma a uma as fabulosas noites da Bahia.

Curioso, notei que o Egas não parecia atento, evitando até ouvir minhas histórias. Mas eu insistia. Subitamente, um tanto constrangido, não entendi por que, disse-me:

– Vamos para aquela mesa um instante.

Acomodamo-nos na mesa ao lado. Então olhou ao redor, precavido, e sua voz assumiu um tom confidencial.

– Queria lhe contar uma coisa...

– O quê, Egas?

– Eu nunca fui... – começou mas não terminou.

– Nunca foi aonde?

– Bahia.

– Você nunca foi à Bahia?

– Sei tudo sobre a noite de Salvador, tenho amigos que viajam muito para lá, mas não fui.

E baixando o rosto:

– Nunca saí de São Paulo.

Foi minha vez de mostrar constrangimento. Mas reagi assim:

– Isso não importa. Suas indicações foram perfeitas. Sem elas não teria me divertido tanto em Salvador.

Os dois amigos do Egas, impacientes com sua demora, foram ocupar a nossa mesa. Um deles trazia papel e caneta. Pediu:

– Continue, Egas.

E explicou-me:

– O comendador está nos passando uns endereços de boates, cabarés e restaurantes. Vai até fazer um mapinha.

– Ah, vão viajar? – perguntei.

– Sábado.

– Para onde?

– Honolulu.

CELEBRIDADES INSTANTÂNEAS

*Talk shows servem até para vender
espanador giratório a pilha*

Hoje em dia quem aparece num *talk show* dá uma pisada no *hall* da fama. Sai da sombra do anonimato. É como se o próprio Deus acendesse um *spotlight*. Aproveite, chegou a sua vez de brilhar!

Houve época em que nem escrevendo *Os sertões* se alcançava de pronto a celebridade. Carlos Drummond de Andrade, pouco chegado à autopromoção, apenas se tornou conhecido – não lido – pelo público já nos finais oitenta anos. Lima Barreto, o romancista de *Clara dos Anjos*, só passou a ser mencionado com maior frequência para eliminar a confusão que se fazia entre seu nome e o do cineasta Lima Barreto. Van Gogh, mesmo decepando a orelha para presentear uma namoradinha, ato romântico e original, permaneceu na obscuridade até o fim da vida e sem vender um único quadro.

As portas do sucesso atualmente são mais acessíveis. Podem ser transpostas em minutos. Chamam-se *talk shows* ou, em linguagem bárbara, programas de entrevistas na televisão. Segundo acabo de ler, chegam a vinte, apresentados em quase todas as emissoras, diariamente e nos mais diversos horários. É um gênero de espetáculo de baixo custo porque os entrevistados, doidos para aparecer no vídeo, naturalmente não cobram nada. Pelo contrário, muitos até pagariam.

Quem tem necessidade urgente de se promover, lançar produtos ou aparecer na telinha para provar que ainda não morreu – estou vivo e atuante, gente! – visita infalivelmente todos os programas do naipe. Nada mais eficiente para ser reconhecido na rua e em toda parte. Gente que nunca viu o entrevistado o cumprimenta com um largo *olá*. Os mais ousados arriscam: "O senhor estava ótimo ontem no *Jô*".

Eu também tenho talento, preciso apenas de uma oportunidade para me destacar. É o sonho de muitos. E onde aparecer, para milhões e ao mesmo tempo, senão na televisão? Figurar nos *talk shows* é o único jeito de ficar conhecido instantaneamente e poder vender o seu peixe. Foi o que declarou o dono de um restaurante de frutos do mar...

Para os desconhecidos, conseguir ser programado num *talk* depende de relacionamento e boa dose de paciência. Uns esperam meses. Para os já conhecidos, mais preocupados em manter certa popularidade, é até relativamente fácil. O difícil é fazer cara convincente de que está no programa de seu querido entrevistador, preferido entre todos. E morrendo de saudade. Este, por seu turno, tem de fazer a cara certa de que se trata de uma entrevista exclusiva, única, fingindo ignorar que o convidado já compareceu no mínimo a três emissoras na mesma semana. Ontem mesmo esteve no programa do seu concorrente, aquele fofoqueiro, aquele vaidosão, aquele...

Quando o entrevistado, mesmo ignorado pela mídia, cai no agrado do auditório, o referido peixe está vendido. Lembro o espevitado autor de um espanador giratório a pilha, de duvidosa utilidade. O público adorou à primeira vista o curioso inventor: foi no seu papo solto, riu o quanto pôde. E aplaudiu frenético. Soube-se que vendeu milhares de espanadores giratórios, encalhados há anos.

Uma entrevista bem-sucedida resolve. O homem que promovia o reconstituinte leite de jacaré foi até bisado. Há também os que não querem vender nada, interessados somente na divulgação da imagem, na satisfação do ego. O conceito de muita gente dá saltos andinos após um cara a cara com Marília Gabriela ou um tapa no microfone do Jô.

Torno a lembrar Van Gogh, em vida o mais joão-ninguém dos gênios, o durango e biruta que pintava telas que hoje valem dezenas de milhões de dólares. Theo, o mano e protetor, após a dramática amputação, para salvar Vincent certamente recorreria aos programas de entrevistas, a última chance de sucesso artístico e equilíbrio mental.

Antes de exibir seus girassóis, talvez perguntassem ao pintor:

– Não querendo interromper e já interrompendo, o que você fez com a sua orelha?

Ou aprovassem:

– Sem orelha você fica uma gracinha, Van.

Ou se arrepiassem a ponto de não fazer a entrevista:

– Nossas estrelas comerciais entram agora e depois a gente volta.

O CLUBE DOS EX

Eles foram, já não são, e viraram uns chatos

Ao deixar de fumar, o que fiz recentemente, depois de meio século de tabagismo, meu maior receio foi o de ser rotulado de ex-fumante, ingressando numa confraria, clube ou legião a que me desagrada pertencer. O ex-fumante, que muitas vezes tem na vitória sobre o vício sua única qualidade curricular, a solitária prova de que é capaz de alguma coisa, está sempre desfilando numa eterna passeata contra o fumo. Mas não se restringe à mera pregação, vive bolando ideias até cruéis para limitar cada vez mais o espaço dos fumantes. Sente prazer mórbido em persegui-los e cercá-los. Espécie de *video-game* maluco. Se pudesse influir, o cigarro seria proibido nos corredores, escadarias, praças, esquinas, galerias e... telhados. Há antenistas que fumam. Multaria, sim, multaria, com apito e tudo, quem fosse apanhado fumando a menos de um quilômetro de hospitais, colégios, igrejas, mercados e armazéns. Se nunca teve um ideal na vida, o tem agora: eliminar o fumante como um verdadeiro cruzado pronto a debelar até pelas armas o vício diabólico.

Sei de um que impôs à noiva, minha amiga:

– Largue de fumar ou não há casamento.

– E o que você fez, Arlete?

– Com esses tempos bicudos? Pior seria deixar de comer. Estou casadinha.

– E não fumou mais?

– No banheiro. É mais gostoso.

Esses ex, que durante anos ou décadas conviveram com bias, cinzas e fumaça, amigos inseparáveis de isqueiros, piteiras e cinzeiros, de repente ficam com suas mucosas supersensíveis. Qualquer fumacinha distante, fogueira de tribo comanche, provoca-lhes logo tosse, engasgos, espirros, lágrimas e demais sintomas alérgicos que não sentiam quando fumavam. Basta alguém acender um cigarro para apresentarem sinais de intoxicação. A simples visão de um fumante, mesmo que este esteja dormindo, desperta-lhes um nojo colérico.

O ex-fumante só compete em radicalismo com outra espécie hoje muito em moda e autoproclamada, o ex-comunista. Este é, no geral, dado a fazer depoimentos em locais que variam de um elevador ao palco iluminado de convenções, eventos públicos e debates. Lembram os novos convertidos do Exército da Salvação:

– Eu bebia...

Ele sabe que essa confissão já não dá cadeia, é mole, e conta ponto nos itens relativos à sinceridade, vivência e capacidade de reciclagem. Além do mais, dizer-se ex-marxista dá hoje certo charme cultural e prova principalmente que o referido já leu alguma coisa, o que a simples opção democrática não garante.

– Quando eu pertencia ao Partido Comunista...

Mentira! Muitas vezes, justamente esse que fala, até com certo toque nostálgico, nunca pertenceu ao Partidão. Nos anos de repressão esteve sempre na sua, alerta e cauteloso, evitando atitudes e adesões comprometedoras. Se via circular um abaixo-assinado visando à libertação de algum suposto subversivo ou qualquer coisa em oposição à Redentora, evaporava. Em certos livros, epa, nem tocava os dedos. Sabia que muita gente boa ia em cana apenas por citá-los num papo informal. Chegou a abandonar uma namorada só porque ela gostava de vestir-se de vermelho e rompeu com um amigo do peito porque seu nome era Lenine. Agora, águas passadas, até fatura simpatias em todas as áreas por afirmar ter-se preocupado com política, e a todo risco, quando outros jovens da época se voltavam exclusivamente ao sexo, drogas e *rock and roll*.

– Hoje estou vacinado contra essas ideias.

Tendo sido ou não membro de carteirinha do Partidão, é aí precisamente o ponto a que esse ex quer chegar: à exibição de seu atestado de vacina.

A quem interessar possa, ele está limpo, cuca legal, democratizado, não representa perigo ideológico nenhum. Relaxem, patrões, tudo não passou de loucuras da mocidade, amadureceu; hoje é da livre-iniciativa.

Mas há um ex que eu seria de bom grado. Ex-pobre. Por mais chatos que os ex-pobres sejam...

CORREIO SENTIMENTAL

A feliz história de um plagiador

Os namorados de hoje não precisam mais de veleiros, barcos e iates para seus passeios aquáticos – podem navegar pela internet. Ninguém morre afogado e é muito mais barato. Inclusive – isso é o mais importante – podem conhecer-se via computador, o que, para os tímidos, é melhor que torrar dinheiro com psicanalista.

A internet será muito em breve a grande esquina dos encontros românticos, ou o quarteirão provinciano do *footing*, onde rapazes e moças passeavam antigamente. Em caso de desentendimento, o desenlace é bem mais simples nos namoros computadorizados. Basta apertar a tecla "delete".

– Hoje deletei aquele chato do Jorge.

– Cuidado, Rosa, senão eu deleto você.

Apagar a memória da amada no computador é mais radical que uma queima de arquivo. Desta sempre restam cinzas, ossos, metais. Do ato de deletar nada restará.

Não duvidem, logo a internet será a culpada de grandes tragédias passionais, registradas nas manchetes.

Deletado pela namorada, o rapaz atirou-se do viaduto.

Apaixonados via internet, mas rejeitados pelas famílias, dois jovens suicidaram-se diante do computador.

Marido ciumento mata a esposa que navegava pela internet com um coleguinha de trabalho.

O homem atual é muito mais apetrechado, mas não mudou muito na essência. Atirar-se do viaduto é coisa que não se usa em São Paulo desde que o prefeito Prestes Maia deu novo visual ao Vale do Anhangabaú. Os suicidas, embora talvez se sentissem moderninhos, acabariam imitando os pioneiros do amor malsucedido: Romeu e Julieta.

No meu tempo, certamente nem a ficção científica chegava à internet. Os tímidos recorriam ao Correio Sentimental.

Senhor calvo, mas de ótimo aspecto, convida jovens de até vinte anos para um fim de semana em sua mansão, à beira-mar, a fim de discutirem males e conveniências da vida moderna.

Oriental, maluca por xaxado, deseja manter relacionamento definitivo ou temporário com pessoa de qualquer cor ou idade que tenha a mesma paixão.

Moço pobre, com noções de higiene e bons dentes, deseja conhecer viúva proprietária para matrimônio. Exijo sinceridade, sentimentos religiosos e escrituras definitivas.

Um amigo meu, o Ataliba, rapaz que não dava sorte com as mulheres, leu um desses anúncios.

Morena dourada, ex-miss Suéter e ex-miss Garoa, procura alguém que saiba versejar, um poeta, para o amor e outros desatinos. Inútil apresentar-se sem essa qualidade. Cartas para Terezeca.

O Ataliba não era poeta. Nem mesmo acróstico fizera, formado com as letras iniciais do nome de alguma garota, mas sentiu-se atraído. Morena dourada. *Ex-miss* Suéter. *Ex-miss* Garoa. E que outros desatinos seriam esses? Mandou uma carta e um soneto lindíssimo, certamente não de sua lavra, mas de Guilherme de Almeida, o grande vate paulistano, que tão bem sabia falar de amor. Terezeca responderia? E se identificasse o plágio? Não esperou muito pela resposta. Apaixonada, ela logo escreveu pedindo mais, mais. Que poeta, aquele moço! Ataliba recorreu novamente a Guilherme. Outra vez acertou na mosca, isto é, no coração de Terezeca. Marcaram um encontro na rua

Sebastião Pereira. Bem, a morena dourada com certeza tivera melhores dias. Suas faixas de *miss* deviam estar muito desbotadas. *Miss* é como automóvel: o que importa é o ano. Mesmo assim, Ataliba, que não era nenhum galã de cinema, apaixonou-se.

– Faça uma poesia – ela exigiu.

– Não sei improvisar. Poesia requer trabalho. Amanhã.

Não sei se juntos praticaram os desatinos do anúncio, mas acabaram cometendo o maior de todos: o casamento. Na véspera, Ataliba consultou-me. Deveria revelar a ela que não era poeta? Aconselhei que o fizesse aos poucos. Um dia ele abriu um livro e mostrou a Terezeca um soneto de Guilherme para que ela intuísse o plágio.

– Seus versos são muito melhores – ela respondeu.

Iniciado pelo Correio Sentimental, esse foi um casamento que deu certo. Viveram muito felizes. Até a morte de Ataliba. Outro dia Terezeca me chamou a seu apartamento e tirou de uma gaveta dezenas de poemas escritos com a bela letra do falecido. Olhei. Todos do saudoso... Guilherme de Almeida.

– Vou reunir os poemas do Ataliba para publicar um livro – disse-me a maior fã do poeta.

– Vai publicar? – espantei-me.

– E quero que escreva o prefácio. Tá?

MANUAL DO BAJULADOR

Um puxa-saco que não brincava em serviço

– **A** bajulação é uma arte – disse, em tom de mestre, o simpático Crispim, no confortável bar de um cinco estrelas paulistano. – Mas exige vocação e competência profissional. De acordo?
– A autoridade no assunto é você – respondi humildemente.
Conhecia o Crispim da Barão, quando no início da carreira. Muitos começam a puxação dando uma maçã para a professora. Ele não: ganhou uma maçã depois de elogiá-la na diretoria. Aliás, todo o corpo docente adorava o Crispim, o que lhe valeu até bolsas de estudo, injustas no dizer de invejosos. Já na juventude exercia a bajulação esportivamente, digamos, filando da grã-finagem que frequentava as boates Oásis e Excelsior. Respeitador e ligeiro no elogio, demonstrou facilidades interessantes, como trocar pedra de isqueiro no escuro, ato impossível para o dono da mesa pois tomara inúmeras... Se algum nababo tivesse dificuldade em encostar o carro, deixa para mim, oferecia-se. O puxa precisa ser perfeito nas balizas.
Às tantas da madruga, o dono da mesa, romantizado pelo álcool, flertava com a mulher mais próxima. Mas não podia arriscar seu bom nome com qualquer uma. Crispim, feito um camicase, prontificava-se a levar convites ou recados. Uma negativa e mesmo um bofetão não o afetavam. Sua cara de pau era à prova de vexames.
Em todo lugar que aparecia, geralmente os melhores, Crispim conquistava a amizade dos mais influentes. Se resistiam-lhe, atacava as crianças e os velhinhos. Atacava no bom sentido,

arrebatando-lhes o coração. Assim conseguia viagens gratuitas, ofertas de hospedagens, ingressos para espetáculos caros, convites para jantares, coquetéis, vernissages, boca-livre em festas maravilhosas, convocação para fins de semana inesquecíveis e recepções íntimas a estrelas e beldades chegava do exterior.

Ninguém sabia exatamente quem era o Crispim, o que fazia na vida e quais suas pretensões. No entanto, não podia ficar por fora. Eu via seu retrato nas colunas sociais, sempre bem acompanhado, e em ambientes elegantes, com legendas que enalteciam seu charme, instantâneo como leite em pó. Na TV apareceu muitas vezes, apoiado nos âncoras, tratado com intimidade, uma gracinha, e chegou a falar cara a cara de graves assuntos nacionais e internacionais.

– Conquistei a simpatia de figurões importantes devido a pequenas providências. Exemplo: levar uma pequena farmácia no bolso. Uma simples dor de cabeça estraga uma noite. Especialmente de cupincha... Um comprimido resolve. Trago também comigo certos tira-manchas infalíveis. Uma nodoazinha compromete a vida de um homem, derruba reputações. Mas não se eu estiver por perto.

– Por que não escreve um manual do puxa-saco, Crispim?
– Divulgar segredos profissionais? Eu? São sagrados.

Crispim era refinado. Portava-se muito bem à mesa. Explicou:
– Fiz um curso de boas maneiras. Todo bajulador que se leva a sério tem de investir para impressionar os... clientes. Daí ter adquirido noções de culinária, vinhataria, joalheria, tecelagem, padronagem, primeiros socorros, respiração boca a boca. Ah, ortografia e acentuação de palavras.

– Por que ortografia e acentuação?
– É incrível como os milionários não sabem acentuar. Bem. Agora tenho de ir. Trabalho tempo integral. Bajulação é uma coisa, preguiça é outra, belo.

Esse diálogo aconteceu muito antes do encontro no hotel. Crispim estava agora mais gordo, porém não diria mais realizado.

– Sempre tive *feeling*, radar, sensibilidade para dinheiro. Onde está, com quem e como alcançá-lo. Afinal, uma grande empresa contratou-me como *yes-man*. Pago para dizer sim--senhor. Depois fui promovido: aspone. Sabe o que é, não? Reuniões, congressos, secretárias, charutos, viagens e ódio aos comunistas.

– O topo da carreira! Parabéns.

– No topo cheguei agora. Sou o diretor-geral. Infelizmente.

– Disse infelizmente?

– Disse – confirmou desolado. – De quem vou puxar o saco agora? Vida chata, sem graça. Tudo de bandeja. E o que descobri? Que era bajulador por idealismo. Entra em sua cabeça isso?

O PRA LUA

Dados biográficos de um afortunado

Era assim que o chamavam em nosso grupo, mais por inveja: o Pra Lua. Eu não nutria por ele tal sentimento. Cheguei mesmo a juntar dados com a intenção de escrever-lhe a biografia ou – mais ambiciosamente – um estudo sobre a sorte e o azar que regem os destinos humanos.

Por que uns são privilegiados e outros não? Nasce-se com sorte ou ela vem depois? E onde entram nisso tudo a hereditariedade, os astros, as linhas das mãos, o acaso? Onde? Seriam os Pra Lua descendentes diretos dos deuses astronautas? Até disso cogitei nesse livro extremamente pretensioso que abandonei na página 563. Acabei preferindo dedicar-me mais simplesmente à biografia do referido, cujos altos e baixos, lances de montanha-russa, talvez comprovem a eficiência do satélite na proteção de seus favoritos.

Como o que já escrevi soma centenas de páginas, vai aqui apenas uma sinopse, resumo resumido da vida desse personagem que pode ter muitos defeitos, mas não o do ressentimento.

1940 – O Pra Lua vem à luz numa maternidade, filho de modesta mãe solteira. O luar bate nos olhos da enfermeira e infelizmente faz com que ela troque os berços. Um casal rico o leva.

1942 – Cai do peitoril de uma janela de um 12º andar. Passava um caminhão com um carregamento de paina.

1948 – Vai muito mal nos estudos. Mas dona Tudinha, a professora, o adora e tudo bem.

1950 – Ano de epidemias infantis. Levado às pressas para a Flórida, onde passa o ano todinho.

1959 – Viaja pelo mundo com os pais.

1960 – Viaja pelo mundo sem os pais.

1961 – Os pais viajam sós, ele fica e descobre o mundo.

1963 – O pai morre, a mãe herda.

1965 – A mãe morre, ele herda.

1966 – Não sabe o que fazer com o dinheiro.

1967 – Sabe o que fazer com o dinheiro.

1969 – Acaba com o dinheiro.

1970 – Passa a viver à custa de uma mulher.

1971 – Passa a viver à custa de duas mulheres.

1973 – Há um eclipse: perde as duas.

1974 – O Pra Lua confessa-se comunista. O garçom não ouve.

1975 – Partindo de uma única ficha, um homem desbanca o Cassino de Monte-Carlo. Ele.

1978 – Um avião explode. Só escapa um passageiro. O Pra Lua, com o minguinho luxado, dá entrevistas.

1979 – Dizem que esnobou Liz Taylor. Pelo menos assim, este ano ainda é lembrado por muitos. O da grande esnobação.

1980 – Ninguém o viu. Aliás, o ano em que foi mais invejado, mais enxovalhado, mais tudo.

1982 – Sofre um atentado: Miss Universo tenta violentá-lo.

1983 – Gasta 10 bilhões em loucuras e baboseiras.

1984 – Gasta mais 10, desta vez com baboseiras e loucuras.

1985 – Começa a empobrecer.

1986 – Termina de empobrecer.

1987 – Trabalhando no lixão, encontra um papel colorido todo sujo. Era um bilhete premiado. Cria juízo. Nada de loucuras e baboseiras. Ou umas e outras.

1988 – Pensa em dar parte de seu dinheiro aos pobres.

1989 – Muda de pensamento.

1990 – Apaixona-se pela primeira vez e jura levar vida limpa e sóbria. Mas não é a primeira paixão dela. É trocado por outro. Decepcionado, ele começa a roer unhas. Passa a perseguir a moça de helicóptero. Contrata uma manada de elefantes, portando cartazes, para chamar sua atenção.

1991 – Novamente pobre. E o pior: descobre que fora trocado na maternidade. Sua verdadeira mãe era uma jovem solteira e muito pobre. Passa a procurá-la pela cidade. Quer unir sua miséria à dela. Dedicar-lhe o resto de sua vida. Sofrer e morrer por ela.

1992 – Reencontra a mãe. Que não era mais jovem. E muito menos pobre. Casara com um ricaço e herdara trilhões. Como o filho trocado também morrera, estava precisando viver para alguém. E quem melhor que seu filho de verdade, quem? Abraços, beijos. O Pra Lua, revelando-se poeta, escreve um poema inspirado no satélite. Bem bonitinho.

INSTANTÂNEOS DA VIDA PAULISTANA

O FERIADÃO

Mal acaba um, já se pensa no próximo

– O que você vai fazer no feriadão?
– Mas estamos no último dia do feriadão.
– Refiro-me ao próximo.

Esta é a pergunta mais usual no Brasil quando um belo feriado cai numa segunda ou sexta-feira, ou, hipótese ainda mais gorda, numa quinta ou terça, tornando inúteis por absorção dias intermediários que o calendário ingenuamente não apresenta em vermelho. O feriadão é tão bem-vindo entre nós que mesmo os aposentados, pessoas que neste país podem descansar sem problemas, e até os vagabundos, assassinos em potencial à procura de quem inventou o trabalho, aguardam por ele.

São Paulo, anteriormente chamada A Cidade do Trabalho, e que então em matéria de turismo só ganhava do município de Vassouras, apresenta hoje, nessas ocasiões, o mais perfeito retrato, o panorama completo, do que é um feriadão. Parte da população, justamente a que dirige perigosamente, a que dá cotoveladas nas ruas, a que lota os restaurantes, a que nas filas dos elevadores chega antes da gente, precisamente essa, ruma alegre, em debandada, para as praias, estâncias, interior e outros estados. Às vezes perde horas no calorzão da estrada, devido ao excesso de veículos, pneus carecas, motor que afoga, multas, desastres. Mas isso é previsível, é a taxa da diversão, ora! Até a valoriza. Ninguém vai morrer por causa de um... Bem, tudo pode acontecer, mas vire essa boca para lá, sim?

Foi em pleno feriadão que chegou a São Paulo Mr. Raymond. Homem estatístico, sabendo dos nossos 10 milhões de habitantes e de quantos carros temos, mas ignorando estarmos num abençoado feriadão, achou surpreendente, inacreditável, sim, não ver nenhum congestionamento de veículos, nenhum acúmulo de gente às três da tarde numa sexta-feira e no centro da terceira ou quarta mais populosa megalópole do mundo. De fato, o trânsito fluía suavemente, os raros transeuntes desapressados, criancinhas brincando no meio da rua, um cartão-postal da Suíça.

– Nova York perto daqui é um inferno. Sabia?

– Se sabia? Sabia.

– E Londres. Paris. Chicago também. Vocês têm uma organização urbana maravilhosa, perfeita. Agora sei por que compatriotas meus falam mal de certas cidades brasileiras. Inveja. Só pode ser inveja.

Há pessoas, porém, que mesmo viajando a lugares menos concorridos, distantes ou secretos, não conseguem descansar como merecem: os políticos. Além de reservarem essas poucas folgas para criar e estudar projetos, são frequentemente perturbados pela solerte reportagem. Se furam uma onda, sobem numa prancha ou levam seus problemas a um iate, lá vem um chato da imprensa, seguro numa boia, entre espumas, a romper com perguntas uma linha de pensamento da qual pode depender a felicidade e segurança de muitos, para não dizer de toda a nação.

– Excelência, quando sai o novo salário mínimo? E de quanto vai ser?

Às vezes o inconveniente até quer tirar fotos, entrar no iate...

– Para resolver essas coisas que estou aqui, meu filho.

E enquanto a turma flana, curte o feriadão, esquece os problemas, a excelência do fotograma acima, molhado ou queimado de sol, continua no seu labor incansável, sofrido, em dias que para os outros tudo é prazer e mais nada.

Depois do feriadão encontrei um desses que preferem permanecer em casa, bebendo e vendo filmes com a família, a desafiar a canseira e os riscos da estrada. Mas não me pareceu feliz.

– O uísque estava ótimo, bebemos às pampas, mas quando a turma de casa descobriu que eu não trouxera da locadora nenhum filme do Arnold Schwarzenegger resolveu ir às pressas para a praia.

– E você teve de pegar o carro e...

– Não chegamos lá.

– Por quê?

– Já ouviu falar num tal de bafômetro?

OS DOMINGOS

Vivendo à espera deles

O domingo foi para mim na infância e na juventude prova semanal da existência de Deus. Maior que outros dias, começava já no sábado quando ia dormir cedo para gozar um sono cheio de expectativa. Ao me levantar abria logo a janela e contemplava o céu sempre de azulão majestoso. À hora do almoço vinham seus cheiros e paladares, dos temperos ao vinho, este a parcela consentida do pecado dominical. Sim, o dia santificado era para mim extremamente pecaminoso a partir do momento em que pisava o solo excitante das matinês. O guichê do cine Santa Cecília, nos Campos Elíseos, determinava a exata linha divisória entre o cotidiano e a fantasia, o meridiano que transformava o menino bem-comportado, queridinho da professora, no jovem *mister* Hyde, monstrinho, a ensaiar pelos corredores do cinema sua caça às promíscuas garotinhas do bairro.

Domingos sensacionais os daquele *Doce pássaro da juventude*. De Jean Harlow à resistente filha de um dentista do bairro, tudo descobertas e emoções. Havia depois o *footing* na rua principal, o sorvete e a sinuca. O resto da semana não passava de uma cansativa espera em que o sentimento mais marcante era o ódio às segundas-feiras, de um realismo estúpido. Assim foi até que um dia, já enfrentando os problemas da vida, concluí dramático:

— O domingo é uma ilusão.

Foi a mais triste constatação da minha mocidade.

Outros domingos viriam. Já casado, decidi dar uma folga à mulher, almoçando nesses dias em restaurante. Ideia tão boa que ocorreu a milhões ao mesmo tempo. Só a escolha a princípio já era um prazer, embora nem sempre se chegasse a um fácil acordo. Minha mulher é exigente. Mas a seleção não se limitava à quantidade dos pratos. Onde há boa comida, a fila de espera vai até a esquina, o que torra a paciência. Os melhores e os mais baratos nisso se igualam: no mínimo uma hora de tortura. Mas, se não ficamos uma hora na fila, ficamos ainda mais no carro procurando restaurantes sem fila. Existem. Já notei. São prediletos daqueles fregueses que têm família numerosa, com no mínimo seis encantadoras crianças. É divertido quando uma delas insiste em nos desamarrar os sapatos ou compartilhar nossa sobremesa. Uma chegou até a dar sumiço numa revista que eu levava comigo. Gracinha. No domingo, afinal, encontramos um restaurante vazio. À saída, o proprietário veio agradecer, quase comovido. Homem sensível. Quis saber o porquê.

– Estivemos fechados trinta dias – explicou.

– Luto?

– Acusaram-me de falta de higiene. Maldade. Insetos existem em toda parte, não?

Resolvemos trocar os simples almoços por pequenas viagens dominicais. Por que não pegar o carro de manhã bem cedo e voltar à noite? Estávamos esquecendo a existência de algo chamado natureza. Ela não pode ser privilégio de poucos. Há quanto tempo não vestíamos roupas de banho? Certas praias do litoral nem conhecíamos, lembrou minha mulher. Levando a chave de um apartamento, pé na estrada. Foi maravilhoso. A máquina, a estrada, a paisagem, o vento... E, sobretudo, a sensação de liberdade. Demoramos algumas horas para chegar à praia, é verdade, mas conservamos o bom humor. Às vezes é até melhor topar com dificuldades. Afinal, o velho marzão!

A areia, suja, não estava muito convidativa, mas não sou dos que vivem estrilando. Uma queixa: com aquele calor, não encontramos uma única cerveja gelada nos bares. Aconselharam procurar nos restaurantes. Mas, em trinta quilômetros de praia, não tivemos sorte. O contato com a natureza ativa na gente uma fome canibalesca. Teríamos atacado alguma criancinha se não tivéssemos visto um vendedor de tremoços. Filmes mexicanos e tremoços são duas coisas que odeio neste mundo. Mas se tratava de salvar vidas.

A volta não teria sido tormentosa se não fosse aquela carreta tombada na estrada. São imensas e possuem muitas rodas. Ainda assim, sempre tombam. Especialmente aos domingos. Dormíamos, quando nos informaram, batendo no vidro, que a Anchieta já estava desimpedida. Em apenas três horas chegamos a São Paulo.

– O domingo continua sendo uma ilusão – comentei com minha mulher. – Que tal uma pizza?

– Nada melhor para se opor a uma ilusão – disse ela sabiamente.

PEQUENOS PRAZERES, GRANDES EMOÇÕES

Momentos inesquecíveis que iluminam a vida da gente

Há certos prazeres, pequenos, quase insignificantes, que marcam, iluminam uma vida. Lembro-me, ao acaso, de um deles. Havia um calor insensato no litoral. Eu estava instalado num apartamento alugado, com uma dessas sedes que água pode matar, mas covardemente, a sangue-frio. Aquela era sede nobre, para ser curtida, suavemente. Sede de cerveja, das bem geladas, com batatinhas e janela para o mar. Saí, em meu carro, já com a boca seca. Batatinhas e o marzão, vistos de um terraço, eu tinha. Faltava o líquido salvador.

Logo no primeiro boteco, um sádico me informou que ninguém tinha cerveja na praia. Não vira a notícia pela televisão? Peguei o carro e fui procurar outro boteco. A partir do quinto, comecei a ficar aflito e a dirigir até com uma certa imprudência. Percorri uns trinta. Voltei ao apartamento no lamentável estado de quem atravessara um deserto.

Minha mulher:

– Onde você foi tão alucinado?

– Comprar cerveja. E não encontrei nenhuma. Vou morrer. Adeus.

– Mas o dono do apartamento deixou meia dúzia na geladeira...

Corri à cozinha e abri a geladeira. As lindas cervejinhas estavam lá! Suadinhas. O prazer de tomá-las, gole a gole, foi o maior destaque daquele ano, no qual, nada mau, até ganhei um dinheirinho na loteria. Como disse, há uns prazeres baratos, e deste tamanhinho, que ficam na memória, se eternizam, merecedores de um graças a Deus.

No tocante ao canalha do Palha, o tipo de prazer foi diferente. Ele sempre me prejudicou, sempre. Durante anos. E eu não podia dizer-lhe o que pensava dele, desabafar, porque em mais de um emprego foi meu superior. Com uma só palavra me mandaria para a rua. Quando topamos certa manhã no Largo do Café, cara a cara, ambos já em empresas diferentes, explodi. Sem um bom-dia, comecei a xingá-lo em voz alta, enchendo o largo de palavrões. Seu isto, seu aquilo. Mandei-o para uma porção de lugares, nada aprazíveis. Mas não só ele. A mãe também. A mãe. Juntou gente, inclusive o plantão do deixa-disso. Fui afastado da cena, na marra, ainda atirando minhas bombas, enquanto ele evaporava.

Continuei meu caminho matinal, andando nas nuvens, aliviado. Sentia um bem-estar maravilhoso. Prazer puro. As pessoas com as quais cruzei naquele dia acharam que eu estava com boa cara. Viajara? Uma perguntou, já com uma caneta para anotar, em que *spa* eu repousara.

Pequenos prazeres são o tempero da vida. Uns acontecem, outros podem ser programados. Ouvir Billie Holiday ou Peggy Lee, já no terceiro uísque, para mim é um deles. Ler Carlos Drummond de Andrade num feriadão ensolarado é outro. Assistir a um filme policial *noir*, em vídeo ou TV, numa sexta-feira à noite, comendo pipoca, é um programão. Reler Hemingway, numa viagem de trem, junto à janela, é simplesmente delicioso. Dar banho num cachorrinho de estimação, no tanque, ele com sabonete no focinho, espirrando, só eu sei quanto daria para tornar a fazer. Ou, no topo do verão, engolir um simples sorvete de abacaxi, que traga em colheradas pausadas o gosto de infância, conservado no frio.

E o encontro com Rosalinda! Prazer difícil de explicar. Foi numa galeria cheia de gente apressada em véspera de Natal.

De repente, depois de uns vinte anos, esbarramo-nos e depois nos abraçamos, rindo e derrubando pacotes. Abaixados, catando os embrulhos, sem saber quais exatamente eram os meus e os dela, gargalhamos rentes ao chão, um pedindo desculpa ao outro, ainda a confundir os volumes. Que jeito de reencontrar depois de um grande amor terminado ferozmente num duplo juramento: nunca mais quero ver você. E estávamos os dois, de joelhos na galeria, a rir como bobos. Novamente em pé e cada um com seus embrulhos, beijamo-nos civilizadamente e seguimos a rir por lados opostos. Eu não tornaria mais a vê-la na vida. Não nos preocupamos em trocar endereços. Mas o esbarrão me causou um grande pequeno prazer, o melhor presente, talvez, daquele Natal.

Aposentados também podem curtir seus pequenos prazeres, geralmente aqueles que recompõem o orgulho de quem trabalhou a vida inteira. O meu, o maior, limita-se a responder um NÃO, redondo, sempre que me venham oferecer emprego. Pessoas que inúmeras vezes me negaram uma oportunidade anseiam, agora que me aposentei, por uma resposta positiva.

– Não.

– Você disse não ao presidente da empresa? – espantou-se minha mulher. – Disse?

– Ele pensou que me compraria por 50 mil mensais.

Solidária, minha mulher começou a chorar. Desesperadamente.

A ESQUINA

Lugar marcado para encontros e desencontros

Aqui da minha janela vejo uma esquina, apenas um ângulo reto, sem portas de loja, sem ponto de ônibus, sem camelôs. Nada que possa furar, pôr em risco o sigilo às vezes exigido para um encontro. Na verdade, ninguém marca no meio de um quarteirão, onde as pessoas são mais iguais. Também já não se marcam encontros nas praças, como pesquisei, porque o tamanho delas fragiliza os compromissos. É fácil inventar uma desculpa – esperei você no outro lado da praça, *sorry*. Antigamente, a cidade menor, havia pontos de encontro fixos em São Paulo, tradicionais, rotineiros: diante do Mappin, do Cine Metro, da Catedral. Ou em interiores, no Ponto Chic, na Cervejaria Franciscano, na Confeitaria Campo Belo ou na Vienense.

Hoje nada é fixo, e a cidade foi perdendo seus referenciais, mas as esquinas, escolhidas pela discrição, não mais pelo charme, continuam programadas para encontros. Há anos, seja dia ou noite, observo a referida esquina de minha janela. Deu até para redigir um pequeno volume, espécie de ensaio ou revelações, sobre o ato de esperar e a ansiedade que ele gera. Livro, acreditem, já cobiçado por diversas editoras...

Algumas pessoas, de natureza sofredora, chegam muito antes da hora aprazada, como verifico pelo meu relógio. Não se combina um encontro, por exemplo, para 14h47. Quem se antecipou esperará no mínimo treze minutos. Erro que os homens cometem em maior número. Para as mulheres, pontualidade quer dizer fraqueza. Uma qualidade que pode passar como insegurança. Mesmo quando se atrasa, o homem geralmente chega antes.

Há aqueles que se sentem siderados se o outro faltar ao encontro. Por isso preferem esperar dentro de um carro, ocultos, para que ninguém flagre e ria de seu desapontamento. As pessoas têm pudor de mostrar que esperam por alguém que não chega. Há uma boa dose de humilhação nisso. Para disfarçar, assobiam, movimentam-se o tempo todo, sorriem (quem sofre não ri), olham para o céu como se vissem discos voadores e às vezes vão até a outra esquina ou simplesmente leem um jornal.

As mulheres são menos artistas nessas circunstâncias. Mostram logo sua irritabilidade, não desgrudam os olhos do pulso e esperam menos que os homens. Não veio, dane-se. Ainda dá para encontrar o Robertinho.

As mais pacientes são as que já dobraram o cabo, estão no desvio, a perigo, entregues às traças. Observei uma esperar por duas horas, inutilmente. No dia seguinte voltava muito mais fresca e esperançosa. E novamente sofreu a dor da espera.

Uns perdem completamente o equilíbrio, como constato da minha janela. Dão murros no ar, chutes. Pelo movimento dos lábios, percebo que dizem todos os palavrões conhecidos, repetindo em tons diversos os mais consagrados. Engraçado. Um único palavrão apaga qualquer drama. Ele faz retomar o contato com a realidade, que não espera, caminha.

Quem fuma, notei, se contém mais facilmente, dá menos vexame. O cigarro está muito associado à espera, e sobre isso se fez um tango famoso. Se algum dia o fumo for totalmente proibido, talvez o permitam por recomendação médica nos casos de espera angustiosa.

Perdendo tempo em espiar a vida alheia, fico imaginando quem são as pessoas febrilmente aguardadas em minha esquina. O mais aflitivo, doloroso, é sempre o primeiro encontro entre um homem e uma mulher. Aí a espera se mede por segundos e batidas do coração. Se um ou outro não comparece, fica provado que é tudo mentira, nada mais que mentira. Deve estar se rindo dele, a hipócrita. Foi um ingênuo em marcar o encontro e até comprar um presentinho, cujo embrulho parece brasa em suas mãos.

Sempre há alguém esperando em minha esquina. Por quem espera aquele homem loiro e gordo, que dá voltas como se perdido num labirinto? E aquela mulher que toma um gole de esperança a cada homem que surge na outra ponta da rua? E aquelas duas mulheres, unidas pela mesma impaciência, esperariam, num lance de comédia, pela mesma pessoa?

Uma bela moça, pisando sua pressa, aproxima-se. Um desiludido da esquina, sangrando pelos ponteiros do relógio, explode num sorriso, abre os braços e vai ao encontro dela. Um clarão de pura felicidade ilumina toda a rua. A espera dói, mas a chegada de quem se espera é linda.

DESCULPE, FOI ENGANO

Uma ligação errada pode ser providencial

— Por favor, chame o Lineu.

Não era a primeira vez que me pediam isso. Todos os dias a mesma voz apressada. Desagradava-me o tom impositivo, patronal. Berrei:

— Linnneeeuuu! Linnneeeuuu! Linnneeeuuu!

— Como o folgado demora para atender – protestou o impaciente.

— Suponho que seja porque não há nenhum Lineu aqui. Moro sozinho. Mas não me custa insistir: Linnneeeuuu!

Se tivesse a mania de anotar já teria um livro volumoso sobre enganos telefônicos. Por azar, sou uma vítima diária, geralmente nos momentos menos desejáveis. Outro dia foi às três da madruga. Nas horas inconvenientes a tendência é não atender. Mas desastres, males súbitos, falecimentos não escolhem horário.

— Pronto!

— Quem é?

— E o senhor, quem é?

— Não há motivo para levantar a voz, cavalheiro. Seja urbano.

— Sabe que horas são? Três e 21.

— Seu relógio está atrasado. São três horas e 24. Acerte.

— Acertei. Foi só para isso que ligou?

— Olha, engraçadinho, diga ao Juvenal que a graça já entrou, o processo foi retirado e que pode dormir em paz. Anotado?

— Eu teria o maior prazer em dar tão boas notícias ao Juvenal, coitado, seria ótimo, mas infelizmente não o conheço. Com licença.

Nesta São Paulo de centenas de milhares de telefones, quantas ligações erradas são feitas por minuto! Gente que não confere os números, que se equivoca ao discá-los ou cujo aparelho apresenta defeitos. Como ninguém dispõe de tempo, vai-se logo ao assunto:

— É o Pablito. Pode pegar um jatinho e vir para cá?

— Ir para onde?

— Rio, ora! Para onde podia ser, panaca?

Adoro o Rio de Janeiro, mas não tinha o que fazer lá.

— Espera! Com quem quer falar?

— Você não é o Tavares, contato da Royal?

— Não, Pablito.

— Então por que não disse logo que não era o Tavares?

E bateu o telefone. Meu tímpano! Logo em seguida, a mesma voz, encucada:

— Sabe quem está falando?

— Pablito.

— Não lembro de ter-lhe dito meu nome.

— E não disse.

— Se não disse como sabe? — insistiu, nervoso.

— Por isso é que está telefonando outra vez?

— Sim.

— Sou adivinho, panaca. Tchau.

Alguém me telefonou certa vez e, sem perguntar quem estava falando, convocou-me para uma reunião secretíssima do Partido Trabalhista Brasileiro. E, mais curioso, dias depois tornou a ligar para agradecer a presença, garantindo que minhas sugestões e conselhos seriam seguidos rigorosamente. Eu agradara em cheio.

Já aconteceu de eu estar no banho e o telefone tocar. Com o drama do desemprego, tendo jogado garrafas com S.O.S. em todos os mares, saí ensaboado. Um telefonema pode salvar uma vida.

– Seu Araken?

– Deve ter-se enganado no número – expliquei, dizendo o meu.

– Mas é para onde liguei.

– Atchim!

– O que disse?

– Nada. Espirrei. Estou ensaboado. O senhor me tirou do banho.

– Desculpe-me, seu Araken. Mas aí é o bairro de Perdizes, não? – e disse meu endereço completo. – Apartamento 32?

Tudo certinho. Apenas eu não era o...

– Afinal, o que o senhor deseja?

– Minha empresa pretende informatizar-se, entende? Matriz e filiais. Temos 1 milhão para investir. Confirme seu nome, por favor.

– Marcos. Marcos Araken. Perdoe a confusão. Vamos conversar.

Foi assim que entrei para o ramo de venda de computadores.

CHOVE CHUVA

Enchente surpreende marido em motel da marginal

Pondo à parte seu lado dramático, como o das enchentes em São Paulo, a chuva não serve apenas para a venda de capas e galochas. Tem inspirado poetas e grandes compositores, como Tom Jobim, Jorge Ben e Tito Madi. Poderia ser único tema de um CD capaz de emplacar nas paradas. Na vida da gente sempre há uma chuva inesquecível. Mesmo excluindo as pessoas que perderam casa e tudo o mais, quem não tem uma história de chuvarada para contar?

Já lhes falei do Pra Lua, sortudo e cara de pau que sabia tirar proveito pessoal até dos fenômenos meteorológicos? Na empresa onde trabalhávamos, nenhum atraso era tolerado devido a um gerente pente-fino. Pois não é que o Pra Lua conseguiu dele licença para nos dias de enchente chegar tarde? Bastou mostrar-lhe um retrato seu, num precário barquinho, remando ao lado de duas pobres senhoras angustiadas, que salvara heroicamente. Merecia premiação: a foto do ano.

– Disse-lhe que em casa as águas chegaram quase ao teto – explicou-me.

– E não chegaram?

– Moro no vigésimo andar, maninho. Escaparia até do dilúvio.

– E o barquinho?

– Ainda não sou o Chiquinho Scarpa, mas tenho meu barquinho na represa. As mulheres são tias minhas. Adoram passear de barco. Apenas lhes pedi que fizessem cara de flageladas.

Emocionante história de chuva foi a que circulou durante algumas horas e muitos quilômetros pela marginal do Tietê. Milhares de pessoas apontavam alarmadas para o leito do rio. Um cadáver boiava. O helicóptero de uma emissora de TV levou a imagem para o país inteiro. Tratava-se de um homem jovem, alto, loiro e extremamente elegante. A primeira vítima da enchente ou, quem sabe, um suicida, já que um homem tão chique não podia ser morador da periferia. O helicóptero fazia aproximações perigosas para focar o afogado. Bonito defunto!

Uma senhora apresentou-se ante as câmaras. Era o filho dela, moço vaidoso, mas com manias suicidas. Seu retrato passou a ser exibido de intervalo a intervalo. Surgiram os mergulhadores. Tarefa difícil. A correnteza empurrava o corpo sem parar. Um desses destemidos quase morre. Para olhar o rio, um motorista perdeu a direção e matou três. Um cão da polícia nada até o afogado, mas, apesar da torcida, se desinteressa. Surpresa! O filho da infeliz mãe é focalizado e... fala. Estava num bingo. O ibope da emissora vai às alturas. O trânsito torna-se impossível nas marginais, a cidade para, o país desacelera. Afinal, verdadeiros camicases do bem, que sempre aparecem, caçam o velocíssimo defunto. Que, estranhamente, não portava documentos. Era um manequim de isopor lançado por um alfaiate: Timóteo, o barateiro da Lapa, que costumava usar formas inovadoras de promover sua tesoura. Distribuindo cartões, desculpava-se:

— Não tenho grana para publicidade. E o rio não cobra nada, valeu?

O pior drama da chuva, a meu ver, aconteceu com o Macedo. Quem conhece o Macedo sabe que é bem casado e não dado a aventuras. Pelo contrário, vovô e exercendo cargo de confiança, sempre fugiu delas. Aquela ida ao motel não fora programada. Praticamente o arrastaram. O tempo não estava bom. Mal assinou a ficha, a chuva começou. A princípio pareceu-lhe que, além de excitante, boa para seus sessenta anos, ela lavaria a mancha daquele secreto pecado vespertino.

Logo, porém, intensificada, ela virou tempestade, tornado, furacão, o que quiserem. Os hóspedes, no saguão, apavorados, viam pelas janelas a água ameaçar seus carros. Depois, aquilo. Buuuummmm! Uma grande árvore, atingida por um raio, tombou bloqueando por completo a entrada do motel. Muitos braços desesperados tentaram abrir a porta. Inútil, a árvore pesava toneladas. Surgiu um princípio de incêndio: correria, fumaça, tosse, desmaios. A sorte, não sei se assim se deve dizer, pode ser impróprio, foi a chegada do Corpo de Bombeiros. Cumprimentos à corporação! Salvos, o bom Macedo e a jovem, ante a luz vermelha da TV, tossindo, identificaram-se. Apareceram também nos jornais, ambos com pouca roupa, suponho devido ao agarra-agarra da situação. Lembro a manchete de um deles: "Gente importante salva em hotel de alta rotatividade". Mas por que na primeira página? Por quê?

HISTÓRIAS VERDADEIRAS (EM QUASE TUDO)

O NOCAUTE INESQUECÍVEL

Jack não-sei-o-quê versus *Tommy qualquer-coisa*

Ainda lembro e sei que deixei uma profunda impressão, impactuosa, intrigante mesmo, naquela tarde de 1973, sábado, no Departamento de Esportes da TV Tupi, Sumaré. Eu trabalhava na emissora, não no referido departamento, mas no de telenovelas, que produzia um barril de lágrimas por dia. O Departamento de Esportes era no mesmo andar, o que me fez conhecer, alguns de *olá* e outros mais intimamente, todos seus prestigiados integrantes.

Num sábado, dia da semana em que poucos trabalhavam, fui à televisão para encontrar amigos. Não encontrei nenhum colega. No andar, todas as salas vazias. Apenas o pessoal do Departamento Esportivo estava reunido.

Fui espiar querendo bater papo com alguém. Nem me viram entrar. Toda a equipe, uns sentados, outros de pé, assistia concentrada, com febril interesse, a uma luta de boxe pela televisão. Tratava-se de um desses programas periódicos, para preencher horário, do boxe histórico, os grandes combates de todos os tempos, os mais antigos apresentados em filmes, cheios de cortes e pigmentação, e alguns mais recentes, já em teipes e coloridos.

Era uma acirrada disputa entre pesos-médios, mas não recordo os nomes dos pugilistas. Um parece, era Tommy, Tommy qualquer-coisa, e o outro um Jack, dos muitos Jacks surgidos no boxe. Corria o primeiro assalto e Tommy massacrava Jack nas cordas.

– Jack ganha essa – disse eu. – No quarto assalto.

Tomando conhecimento de minha presença, riram, como se eu tivesse dito uma piada. Um deles passou a mão na minha cabeça me despenteando. Eram bons gozadores.

– Você pode entender de literatura, não disso – advertiu-me o Bretas, o saudoso Bretas.

No intervalo do primeiro para o segundo assalto, mostrando-me que eu não era totalmente ignorante na nobre arte, relembrei nomes e fatos de sua história.

– O primeiro campeão dos pesados foi John Sullivan. Ficou dez anos com a coroa. O primeiro campeão negro foi Jack Johnson. Perdeu o título em Havana, provavelmente devido a uma marmelada. Gene Tunney tirou o cinturão de Dempsey, mas por pura sorte. Ao levar um direto, ficou catorze segundos na lona, só não perdendo a luta porque Dempsey se recusava a voltar para seu *corner*. Sabiam?

Ninguém se impressionou com minha cultura pugilística.

No segundo assalto, Tommy continuava o massacre. O pobre Jack só conseguia se manter de pé fugindo ou segurando-se no corpo do adversário.

– No quarto, você disse? – brincou Bretas.

– No quarto – confirmei. – Já percebi que Jack está preparando um gancho.

Todos riram e me atiraram uma bola de papel amassado. Sei no que pensavam: esses caras, só porque publicam um ou dois livrecos, pensam que entendem de tudo. Mais um caso de invasão da área profissional.

O terceiro assalto foi chocante. Jack parecia vencido. Um simples *jab* de esquerda o atirou no tablado. Um, dois, três, quatro, cinco...

O Bretas de novo:

– No quarto, você disse?

– Ele levanta – respondi, tranquilo.

O Jack de fato levantou, mas sobre uma saraivada de golpes. Apoiava-se nas cordas e sangrava. Impressionante.

Quando iniciou o quarto assalto, todos olhavam para mim e riam. Mais uma bola de papel na cabeça. E de fato a situação de Jack no ringue era lastimável. Já cambaleava com a defesa aberta.

– Agora – berrei. – Solte o gancho. O gancho.

Jack não-sei-o-quê, imprevistamente, soltou um gancho elástico acertando – pum! – o Tommy qualquer-coisa. Este, golpeado, deu um passo para trás, em ritmo lento de tango, e depois, bimba, caiu.

Levantei ante uma estupefação total.

– Os leigos só veem o que aparenta – disse, com sabedoria.

Fui beber algo no bar-padaria da esquina, Alfonso Bovero com Doutor Arnaldo. Logo chegava um dos rapazes da equipe. Confessou que o pessoal ficara impressionado com minha previsão. Quarto assalto na cabeça.

– E trago uma proposta em nome da equipe.

– Que proposta?

– Queremos que seja comentarista de lutas de boxe. Curioso, não, um escritor falando de pugilismo?

Eu, comentarista? Nem pensar. Andava muito ocupado, num corre-corre. Além disso, havia um detalhe que preferi não mencionar, já assistira àquela luta duas vezes na televisão. Ou foram três?

ASSÉDIO SEXUAL

Glorinha não tinha sossego com tantos lobos soltos por aí

Antes de estrear o primeiro sutiã, a pobre da Glorinha já vivia assediada o tempo todo por uma caterva de bípedes aloucados. Desde os bancos escolares, verdadeira malta de cafajestes dirigia-lhe expressões grosseiras ou usava de uma coleção completa de insinuações explícitas ou sibilinas. A coitada não tinha sossego, sempre se esquivando, se protegendo, recuando, se escondendo ou apressando o ritmo sincopado de seus passos. Mas a alcateia, acesa, não lhe dava trégua.

Glorinha era bonita? Nunca vi nela grandes traços de beleza, sinceramente, muito cabelo, pômulo saliente, os lábios carnudos demais. O corpo, sim, reconheço, de uma elasticidade felina, denso e ondulante, brilhava mais que o rosto, chegando a provocar impacto. Mesmo assim fugia aos padrões clássicos, notoriamente os gregos, devido à concentração de volumes nas partes menos nobres, digamos assim. Não era do tipo manequim, magreza de passarela tão do agrado dos homens que vestem as mulheres. Para estes, a infeliz Glorinha seria excessivamente robusta, nutrida, curvilínea, talvez vulgar.

O fato é que a jovem exercia uma atração hipnótica por onde passava. Sua presença alterava procedimentos até de pessoas tidas como respeitáveis. Por isso, preveni-a certo dia:

– Cuidado com o professor de matemática.
– Seu Dagoberto?
– Esse mesmo. É um lobo.
– Parece tão bonzinho.

– Abra os olhos, boba. É um lobo.

Minha advertência comprovou-se. O transloucado mestre, em certa manhã de calor sufocante, acercou-se de Glorinha no pátio e prometeu-lhe uma bela nota 10 em troca de um breve passeio no Parque do Ibirapuera. Com meu alerta nos ouvidos, ela caiu fora.

Morávamos perto, eu e a Glorinha, e a via sempre dominando a rua com seu magnetismo. Bastava postar-se na fila do ônibus para ter início o oferecimento de caronas. Aos deficientes físicos ninguém dava uma ajuda, mas a ela, com toda a sua saúde, não permitiam que andasse um quarteirão a pé. O dentista da rua, moço, bem-apessoado e proprietário de um carro importado, lhe propôs casamento.

– Fuja do carinha – disse-lhe no ouvido.

– Mas está bem-intencionado!

– Esse? É um lobo com pele de cordeiro. Deixe-o falando sozinho.

Mais uma vez salvei Glorinha do perigo. O dentista era um alcoólatra em potencial. Recusado pela moça, deu de beber e enfiou o carro sob um caminhão. Ainda está impossibilitado de andar.

Voltei a encontrar-me com Glorinha, por coincidência na empresa em que eu trabalhava. Fora contratada como faturista entre dezenas de candidatas, inclusive universitárias. Alguns aninhos mais velha; porém, continuava como antes ou melhor que antes.

Embora não possuindo dotes intelectuais, Glorinha foi logo promovida. Ingênua. Estava sendo vítima de assédio sexual e nem percebia. O diretor comercial irradiava intenções malévolas.

– Cuidado com o Arantes, sinceramente – preveni.

– Quer casar comigo, já me apresentou a mãe.

– O Arantes? Está preparando o bote.

Glorinha, acordando, deu um chute no Arantes. Deprimido, ele abandonou a firma. Wantuir, outro chefe, pendeu para o lado dela. Assédio sexual. Mostrei-lhe um projeto de lei que ameaça punir esses desavergonhados. Novo chute.

Um dia, abri firma própria e convidei Glorinha para me secretariar. Patrão democrático, às vezes levo os empregados para gozar o fim de semana na Ilha das Flores, onde tenho um chalé. Num desses dias, o barco, recebendo uma ordem equivocada, se foi, e infelizmente ficamos sozinhos na ilha, Glorinha e eu.

– Não fica feio passearmos à noite juntos no chalé? – ela receou.

– Sinceramente, fica feio, sim. Vou dormir no mato.

– Não é perigoso?

– Isso é. O mato está assim de cascavéis.

Glorinha, muito humana, não permitiu que eu ficasse exposto ao perigo. Durma no chalé, chefinho. Desde então nossa amizade cresceu. Ainda trabalha comigo, ganha bem e está a salvo dessa súcia de assediadores. Nela, ninguém bota a mão.

O CORAÇÃO ROUBADO

Uma vingança que durou a vida toda

Eu cursava o último ano do antigo curso primário e, como estava com o diplominha garantido, meu pai me deu um presente muito cobiçado: *Coração*, famoso livro do escritor italiano Edmundo de Amicis, *best-seller* mundial do gênero infantojuvenil. À página de abertura, lá estava a dedicatória do velho com sua inconfundível letra esparramada. Como todos os garotos da época, apaixonei-me por aquela obra-prima, tanto que a levava ao grupo escolar da Barra Funda para reler trechos no recreio.

Justamente no último dia de aula, o das despedidas, após a festinha de formatura voltei para a classe a fim de reunir meus cadernos e objetos escolares, antes do adeus. Mas onde estava *Coração*? Onde? Desaparecera. Tremendo choque. Algum colega na certa o furtara. Não teria coragem de aparecer em casa sem ele. Ia informar a diretoria quando, passando pelas cadeiras, vi a lombada do livro, bem escondido sob uma pasta escolar. Mas... era lá que se sentava o Plínio, não era? Plínio, o primeiro da classe em aplicação e comportamento, o exemplo para todos nós. Inclusive o mais limpinho, o mais bem penteadinho, o mais tudo. Confesso, hesitei. Desmascarar um ídolo? Podia ser até que não acreditassem em mim. Muitos invejavam o Plínio. Peguei o exemplar e guardei-o na minha pasta. Caladão. Sem revelar a ninguém o acontecido. Lembro o abraço que Plínio me deu à saída. Parecia estar segurando as lágrimas. Balbuciou algumas palavras emocionadas. Mal pude retribuir, meus braços se recusavam a apertar o cínico.

Chegando em casa, minha mãe estranhou que eu não estivesse muito feliz. Já preocupado com o ginásio? Não, eu amargava minha primeira decepção. Afinal, Plínio era um colega que devíamos imitar pela vida afora, como costumava dizer a professora. Seria mais difícil sobreviver sem o seu exemplo. Por outro lado, considerava se não errara em não delatá-lo. Vocês estão todos enganados, e a senhora também, sobre o caráter do Plínio. Ele roubou meu livro. E depois ainda foi me abraçar...

Curioso, a decepção prolongou-se ao livro de Amicis, verdadeira vitrina de qualidades morais dos alunos de uma classe de escola primária. A história de um ano letivo coroado de belos gestos. Quem sabe o autor não conhecesse a fundo seus próprios personagens. Um ingênuo como nossa professora. Esqueci-o.

Passados muitos anos, reconheci o retrato de Plínio num jornal. Advogado, fazia rápida carreira na Justiça. Recebia cumprimentos. Brrr. Magistrado de futuro o tal que furtara meu presente de fim de ano! Que toldara muito cedo minha crença na humanidade! Decidi falar a verdade. Caso alguém se referisse a ele, o que passou a acontecer, eu garantia que se tratava de um ladrão. Se roubava já no curso primário, imaginem agora... Sempre que o rumo de uma conversa levava às grandes decepções, aos enganos de falsas amizades, eu contava a quem quisesse ouvir o episódio do embusteiro do Grupo Escolar Conselheiro Antônio Prado, em breve desembargador ou secretário da Justiça.

– Não piche assim o homem – advertiu-me minha mulher.

– Por que não? É um ladrão.

– Mas quando pegou seu livro era criança.

– O menino é o pai do homem – rebatia, vigorosamente.

Plínio fixara-se como um marco para mim. Toda vez que o procedimento de alguém me surpreendia, a face oculta de uma pessoa era revelada, lembrava-me irremediavelmente dele. Limpinho. Penteadinho. E com a mão de gato se apoderando de meu livro.

Certa vez, tomaram a sua defesa:

– Plínio, um ladrão? Calúnia! Retire-se da minha presença!

Quando o desembargador Plínio já estava aposentado, mudei-me para meu endereço atual. Durante a mudança, alguns livros despencaram de uma estante improvisada. Um deles era *Coração,* de Amicis. Saudades. Há quantos anos não o abria? Quarenta ou mais? Lembrei-me da dedicatória de meu falecido pai. Ele tinha boa letra. Procurei-a na página de rosto. Não a encontrei. Teria a tinta se apagado? Na página seguinte havia uma dedicatória. Mas não reconheci a caligrafia paterna: "Ao meu querido filho Plínio, com todo amor e carinho de seu pai".

O RODÍZIO DO AMOR

Quatro rapazes e uma paixão

Todos os sábados nos apaixonávamos por Coca Gimenez. Podia ser falta de imaginação, mas não tínhamos culpa se, todas as semanas, havia um sábado fincado entre a sexta e o domingo. E havia também a mesma Coca Gimenez, uma obsessão para nosso grupo de rapazes, ainda verde nas questões de amor. Como ela era? Quem sou eu para descrever símbolos, mitos, ícones sexuais? A deusa que tanto nos fala ao coração pode passar por mil, na rua, sem despertar grandes atenções. Em relação a Coca, talvez sucedesse isso... Para outros talvez fosse apenas uma uruguaia de voz grossa, um tanto aloucada, que andava com certo balanço e gostava de cigarros *king size*. O nosso grupo, porém, sofria por ela verdadeira atração hipnótica. Motivos prováveis: mais vivida que nós, o forte sotaque castelhano, o fato de morar sozinha, de ser ex-cantora da noite e, diziam, amante, outrora, de Lucho Gatica. Em suma, uma vida cheia de fragmentos e enigmas.

– Este sábado sairei com a Coca – disse Agenor.

Rotina. Todos, éramos quatro, tinham o seu sábado na companhia dela. Organizadamente. Até que a uruguaia se decidisse por um, iríamos nos alternando. Quem não pudesse sair com ela perdia a vez. E não seria honesto convidá-la para sair também noutros dias da semana, aumentando a possibilidade de conquista.

O que acontecia quando saíamos? Cada um apostava num tipo de programa. Eu a levava para restaurantes caros, me impondo privações durante a semana. Lauro, bom dançarino, programava clubes e boates. Ricardo procurava conquistá-la pelo riso: iam aos teatros de comédia. E Agenor, crendo na via musical, sempre tinha um show, ópera ou concerto na agenda. Mas, depois dessas extravagâncias, não imaginem nenhuma retribuição. Nunca havia um *grand finale*, uma generosidade, uma generosidade de fim de noite. O máximo que recebíamos era um beijo rápido, às vezes na presença frustrante do porteiro do edifício, na Consolação. Mal chegava a manchar os lábios de batom, para exibirmos como recordação, no lenço.

Os meses passavam e nenhum progresso. Às vezes lhe arrancávamos confissões. Tivera um grande amor em Tegucigalpa. Alguém, por ela, se jogara de um viaduto, em Caracas. Contou que fugira de uma igreja, de vestido de noiva, em Rosário. E não sabia quem, em Sucre, lhe mandara uma fortuninha pelo correio. Histórias que a faziam ainda mais distante e enigmática.

– Coca, eu te amo – confessei uma noite, porém, em seguida, acrescentei: – Você deve ter ouvido isso um milhão de vezes.

– É verdade – ela concordou –, mas nenhum disse isso convincentemente como você.

– Então nos veremos sábado? – perguntei, feliz.

– Não, sábado é a vez do Ricardo. Esqueceu?

Agenor foi o primeiro a perder a paciência. Um dia disse "desisto" e desistiu. Seria mais fácil com um a menos no rodízio? A uruguaia continuou namorando os três, sem nada conceder e sem nada prometer. Lauro foi a segunda defecção. Num sábado, perdeu a paciência e tentou dobrar a hispano-americana na marra, socorrida, no final, valentemente pelo porteiro.

Ficamos apenas eu e Ricardo no rodízio. Podia ser uma questão de resistência. Ao que restasse, ela entregaria seu maroto coração. Mas o tempo passava, e nada. Com somente dois na parada, a coisa era ainda mais torturante. Parecia um duelo.

Certo dia recebi a inesperada visita do Ricardo.

– Tenho algo a propor – foi dizendo, dramático.

– Roleta-russa?

– Vamos abandonar ao mesmo tempo aquela geladeira. Topa?

– Topo – respondi, imediatamente. Embora apaixonado, estava exausto.

No sábado seguinte, tomamos um porre. O primeiro de uma série. Depois, ele sumiu. Não resisti. Fui visitar Coca, malandramente. Mudara-se, informaram-me. Apenas tornei a vê-la ontem, sim, ontem, mais de vinte anos depois, num supermercado. Pobre. Não é mais a elegante escuna da mocidade e, mal de uma perna, apoia-se no marido. Quem é ele? Agenor, Lauro ou Ricardo? Descubra você, leitor de Agatha Christie. Parabéns para quem disse o porteiro, aliás, mais pintoso que qualquer um do grupo e dispondo de uma semana toda para lhe provar amor. Ao ver-me, a dita ex-amante de Lucho Gatica atirou-se aos meus braços, saudosa, e beijou-me na boca.

Velhinha abusada.

AH, MEU PRIMEIRO AMOR!

Já reencontrou aquela que jurou amar até a morte?

Todos nós vivemos com intensidade nosso primeiro. No mapa da existência localiza-se frequentemente ao norte da infância e ao sul da juventude. Exagerados, muitos vivem até diversos primeiros amores, todos com a força e a chama daquela emoção inaugural, que dizem brotar do coração. O primeiro é o verdadeiro e não necessariamente o inicial, explicam uns, filósofos, ao ouvido carente da última conquista.

Já planejei publicar um livro de depoimentos sobre essa matéria. Primeiros amores. Mas acrescentando o possível reencontro dos apaixonados, às vezes décadas após. Cheguei a recolher alguns relatos. Havia um enternecedor, assinado por um poeta que descobrira a vocação devido a seu amor por uma tal Lili, esvoaçante aluna de balé, a responsável pela sua estreia poética com o poema "Voando para o paraíso". Antológico. O destino, porém, cruel, separou o poeta e sua musa. O reencontro, trinta anos depois, deu-se num ônibus, precisamente na roleta do veículo, num dia em que o depoente estava com muita pressa. Mas uma senhora gorda, à sua frente, encalhara ali de tal sorte que a engrenagem toda emperrara. O jeito foi ele e o cobrador empurrarem a passageira. Não deu. Outros passageiros participaram da operação. Quase. Os que já haviam passado pela roleta puxavam-na. Agora ia. Não foi. Tiveram de desatarraxar a roleta. Sim. Peça por peça, parafuso por parafuso. Uma barra. Só depois que, toda suada e com a roupa em desalinho, soltaram a gorducha, o poeta de "Voando para o paraíso" reconheceu a suave Lili a quem devia sua bela vocação!

Boa senhora. Agradeceu a colaboração do passageiro.

– Pensei não sair mais do ônibus. Agora preciso ir voando para a Mooca.

Outro depoente tivera uma briga de trânsito com uma bruxa que trocara a vassoura por um Ford. Além de levar uma batida, foi agredido fisicamente pela mulher. Os dois acabaram atrás das grades quando identificou nela a menina que prendera seu coração na infância.

Houve o depoimento do candidato a um emprego numa firma cuja encarregada da seleção, psicóloga, era considerada uma fera muito exigente na análise dos testes. Ele temia que não se saíra bem, mas ao vê-la, no final, sentiu-se empregado. As voltas que o mundo dá! Era Soninha, seu grande amor da juventude. Fora ele quem lhe sugerira estudar psicologia. Os signos, porém, seguiram caminhos opostos. Voltavam a cruzar-se, vinte anos depois, numa situação muito favorável para ele.

– Lembra-se de mim, Soninha?

– Claro, lembro, Duílio. Quase casamos. Mas, olhe, você não foi nada bem nos testes. Infelizmente não posso selecioná-lo. E chamou: – O próximo.

Eu também tenho uma história de primeiro amor para contar. Chamava-se Isa, *mignon* graciosa que a todos impressionava pela sua imensa ambição. Não se contentava com os confortos da classe média. Sua meta era a fortuna. Com essa moça ao lado você irá longe, diziam. Isso me agradava ouvir porque combater em dupla torna a luta pela vida mais fácil. Amávamo-nos, mas surgiu um rival. A princípio sorri, era o Berto, um bobão. Um dia, no entanto, ela chegou com um *long-play* e disse:

– Estou lhe devolvendo o disco do Caetano.

– Por quê?

– Porque vou casar com o Berto.

– Mas ele é um bobão! Que asneira é essa, Isa? Deixar um escritor por um vendedor de implementos agrícolas?

A última vez que a vi foi 25 anos depois num hotel cinco estrelas. Vendo-a na administração, imaginei que estivesse lá como telefonista. Democraticamente sorri para ela e fui correspondido. Bom que me viu numa convenção em hotel de luxo. Em seguida alguém se aproximou dela. Sabem quem? Berto, o bobão. O que faziam na ala administrativa, ele sem uniforme? Perguntei a um *bellboy* quem eram.

– O dono da cadeia de hotéis e sua senhora.

Ia me afastando quando o casal, olhando na minha direção, falou a meu respeito. Deu para ouvir.

– Lembra-se dele? Quase que caso com isso aí. Feio, e aposto que continua pobre. Azar de quem casa com o primeiro amor.

PRESENTE DE PAPAI NOEL

O bom velhinho é obrigado a fazer cada uma...

Esta não é a primeira vez que escrevo sobre Papais Noéis. Sabem por quê? Porque privei com alguns deles morando numa pensão da velha São Paulo. Ali viviam diversos aposentados que garantiam as castanhas de dezembro trabalhando como Papai Noel nas lojas. Certamente todos os anos se submetiam a uma seleção, às vezes rigorosa, cujos itens descrevi noutra crônica natalina. Além dos requisitos físicos, tinham de expressar bondade em cada gesto e em cada olhar. Não é mole representar o santo velhinho doze horas por dia. Exige concentração, laboratório, ensaio. Já em novembro, na pensão, começavam a tratar os demais pensionistas com boas maneiras, uma amabilidade pegajosa, e a passar a ferro um sorriso fixo, engomado, que não dobrasse nem se desfizesse facilmente. Da qualidade desse sorriso dependia, muitas vezes, a aprovação de um candidato a Papai Noel.

Num dezembro, apresentou-se a uma loja um pensionista inexperiente e pouco dotado para interpretar o papel. Nem velho nem gordo, faltava-lhe principalmente a doçura do olhar. O que tinha de sobra era necessidade do emprego, razão até de certa agressividade nos movimentos. Ninguém na pensão esperava que fosse contratado, podia assustar crianças.

– O senhor aí, saia da fila – ordenou o gerente, mal se postara para a seleção. Ia embora, derrotado, quando ouviu: – Foi escolhido, homem.

Pediu confirmação.

– Fui mesmo?

– Tem boa vista?

– Nunca usei óculos.

– Boas canelas?

– O que quer dizer?

– É capaz de correr, se necessário?

– Até já corri na São Silvestre.

– Conhece luta livre?

Somente depois de vestir a roupa de salvação e de lhe colarem as fartas barbas brancas no rosto, diante de um amplo espelho, explicaram o porquê da imediata contratação.

– Nesta época do ano costuma haver muitos furtos nas lojas. Queremos que seja um vigia disfarçado de Papai Noel. Olho vivo. Abotoe sem piedade quem quiser bancar o esperto.

Logo no primeiro dia de trabalho o novato evitou um roubo. No segundo, outro. Três na semana. Era eficiente. Elogiado, causou inveja nos demais, frouxos, que só sabiam agradar as crianças. Na véspera do grande dia viu um homem surrupiar um trenzinho de pilha. Segurou-o. Num safanão, o cara escapou.

Corrida pela loja, os dois saltando obstáculos. Na escada rolante, o ladrão começou a descer por onde os outros subiam. Confusão. Parecia ser o fim do curta-metragem. Não foi. No térreo, o esperto Papai Noel conseguiu deter o larápio. Por um segundo. Liso, ele tornou a escapar. Ganhou a rua. E o Papai Noel, já sem o capuz, atrás. Alguém gritou o "Pega, ladrão!" tradicional, mas o povo preferiu assistir a participar. O homem entrou numa galeria. Pensou que a bondosa figura desistira. Quase parou, respirando. Mas lá estava ela, correndo, com a barba a despregar. Disparou outra vez. Um maltrapilho perseguido por um robusto e bem-vestido Santa Claus.

Era um pobre que devia ter roubado um simples brinquedo, enquanto o velhote estrangeiro carregava um saco cheio deles. Um policial fez que não viu. Vozes animavam o fugitivo a não se entregar. Agora, no meio da avenida, ambos corriam entre os automóveis, perturbando o trânsito. Subitamente, Papai Noel disse um palavrão e estacou. Perdera o outro de vista.

A história poderia acabar aqui, mas pode também acabar acolá. O ladrão pôs o trenzinho a funcionar. Acendia luzes, apitava, fazia curvas. O garoto sabia da situação miserável do pai. Não tinha dinheiro para comprar nada. Perguntou, desconfiado, como o conseguira.

– Ganhei.

– Ganhou de quem?

– Do Papai Noel de uma loja. Nem precisei pedir, filho. Correu atrás de mim e me deu. Disse que a pilha dura três meses. Legal, não?

– Legal.

O QUE NOS DITA A MODA!

FICA MELHOR EM INGLÊS

Por que as misses *gostavam tanto d'O* pequeno príncipe

— **S**ou vegetariana, pretendo ser psicóloga, ter muitos filhos e — concluiu Miss Brasil, expondo à reportagem sua marca mais pessoal — li *O pequeno príncipe* até o fim.

Lembrei-me de muitos anos passados quando entrevistei Miss Garoa, vencedora de um famoso certame de beleza paulistano, por sinal resfriadíssima. Nada é menos erótico que um atchim, mas ela era um chuchu, como ainda se dizia na época. Estreando seu sorriso premiado, declarou:

— Faço ginástica, vou estudar psicologia, quero casar e ter uma porção de filhos. Ah, diga que estou lendo aquele livro...

— Que livro?

— Precisa dizer o nome?

— Não lembra?

— Um que tem na capa um cara que parece um príncipe.

— *O pequeno príncipe*?

— Ainda estou na primeira página. Mas parece que é esse. Bom à beça, não?

A sistemática coincidência tornou-se motivo de aposta na redação dos jornais. Valia litro de uísque. Escocês. Doze anos. Sempre que surgia nova *miss*, para forçar a resposta, o repórter lhe perguntava, apenas como casual complementação da entrevista, sobre seu escritor ou livro favorito.

— E seu autor de cabeceira?

A *miss*, equilibrando a coroa:

– Proust.

Ah, lá se vai o litro de uísque!

– Proust? Disse Proust?

– Proust.

– O que leu dele?

– *O pequeno príncipe.*

Há uma variante, flagrada, parece que no antigo concurso Miss Suéter, realizado quando bastavam relevos, até de para-lamas, para excitar.

– Qual é o autor que você costuma levar para a cama?

– Eu, hein? Não levaria nem aquele cara que escreveu *O pequeno príncipe*...

Certo jornalista quis ser mais didático:

– Você lê os livros de Antoine de Saint-Exupéry?

A *miss*, sincera, nada pretensiosa:

– Esse não conheço. Meu escritor preferido é o que escreveu *O pequeno príncipe*.

Não riam. Quem está interessado nas preferências literárias das belezocas? Você já deixou de sair com a deusa de sua rua ou qualquer distrital apenas porque ela pensa que Saramago é o nome de um remédio para os intestinos? Ou que a Virginia Woolf é a tia do Lobo Mau? Deixou?

Nesse erro caiu certo amigo meu que tirou a mais bela do baile para dançar. Supondo elevar-se sobre os concorrentes, deu assim o primeiro tapa na peteca:

– Você gosta de Erico Verissimo?

Ela:

– Te interessa?

A beleza é essencial, já foi dito com pedido antecipado de desculpas às feias, e o é mesmo monossilábica, muda ou aliada ao besteirol. Ela é vista, vem e vence, diria Cleópatra se César ainda não tivesse expressado sua versão bélica.

Além do mais, reconheçamos, há *misses* nossas que falam inclusive outros idiomas. Registrei isso com orgulho assistindo, certa vez, à transmissão do Miss U pela TV. Desembaraçadamente, a delegada da beleza do Brazil informou ao apresentador americano que tentava avaliar o grau cultural das candidatas:

– *I am reading* The Little Prince.

O conteúdo pode ser o mesmo, mas fica melhor em inglês.

VIVA A DUPLA CAIPIRA!

Como, quando e por que elas alcançaram sucesso

Encontrei na rua um ex-componente duma dupla caipira do passado. Sessentão, mal-ajambrado, ressentido.

– Que azar, no meu tempo a música sertaneja não era valorizada. A rádio só nos abria espaço às seis da manhã. As gravadoras chutavam a gente. Shows, nem falar.

– Mesmo naquela época eu não tinha preconceitos contra os amantes da música caipira, respondi, sentimental. Apenas não dava a mão, atravessava a rua. Pontapé, nunca dei.

– Para faturar tínhamos de correr o país, sujar os pés de lama.

– Antes a música caipira era autêntica, disse eu apenas repetindo um argumento corrente.

– Até que não, rebateu o outro. Era igualzinha à de hoje. A mesma salada de guarânias e demais ritmos. O que faltava era o Texas.

– O quê?

– Faltava o *cowboy*, os trajes do *saloon*.

Ele referia-se ao visual do caipira. O antigo era do amarelão, da maleita, da lombriga, do bicho-do-pé, rentável apenas para os Fontoura. Nossos caipiras, porém, aprenderam uma lição com a turma do Roberto – guarda-roupa –, que por sua vez aprendeu com as bandas lá de cima, donde veio de quebra a salvadora palavra *country*. E então apareceram novas duplas, 1 mil, já com uma embalagem que nada tinha a ver com a do Jeca Tatu, antes ou depois do Biotônico. Caipira ganhou butique, grife e descobriu o sentido de outra palavra, também estrangeira, que às vezes dá uma nota: *marketing*. De chapelão e roupa nova, cada uma à sua maneira, procurou espertamente o caminho para o sucesso.

Para aproveitar a mídia gratuita das vésperas de eleições, lembro-me duma dupla, bem marqueteira, que, sem se dedicar à propaganda política, apenas para estar na boca do público, assim se batizou:

– Com vocês, Franco e Montoro!

O candidato André Franco Montoro foi eleito governador do estado naquele 1982, mas nhô Franco e nhô Montoro, após a abertura das urnas, caíram no mais tumular esquecimento. Não estranhem, no entanto, apesar do exemplo desastroso, se um dia desses ouvirem:

– Uma salva de palmas para Mário e Covas.

Ou:

– E vamos receber a dupla Paulo e Maluf.

Em época bem anterior, um programador da Rádio Nacional de São Paulo, desejando impressionar pelo bom gosto, certa vez declarou muito afirmativo ao diretor artístico Costalima:

– Odeio dupla caipira.

Ao que Costalima respondeu, presto:

– Pois acabo de contratar um trio caipira.

Não convém discordar de um diretor. O programador tangenciou:

– Odeio dupla, mas de trio gosto, trio é fantástico. Qualquer um.

Na mesma Rádio Nacional, quando a música caipira não era ainda moda, conheci uma dupla que fora do microfone nem sotaque tinha, enrustida. Aliás, participando exclusivamente de programas de estúdio, fechado, o palco era para gêneros mais nobres, vestia-se civilizadamente, não usava barbicha e falava um português fluente e correto. E apenas se tratavam de compadre, virando caipiras, caipiríssimos – atenção! – ao surgir o luminoso "No ar".

– Bom dia, nhô Bento!

– Bom dia, nhô Quim!

Não caía bem assumir publicamente o caipirismo. Mesmo faturando alto. Acabado o programa, os dois nhôs voltavam a ser os verdadeiros *gentlemen* de antes da audição e entravam num imponente rabo de peixe, onde os aguardavam, juntamente com um motorista japonês, fardado, não a Ditinha e a Noca do arraial, nos seus vestidinhos de chita, mas duas tremendas e sofisticadas gatas do asfalto.

Aplicando uma dose de *sexy* na veia ou na veia, como queiram, a música sertaneja anda tão badalada, tão unanimidade, apesar dos Chicos, Tons e Caetanos, que os que a gozavam começam a se calar. Prudente. Condená-la chega até a ser perigoso, como dar vivas ao São Paulo Futebol Clube no Parque São Jorge. Faça-o e logo será chamado de elitista, pretensioso, insensível, beletrista, intelectual e discriminado pela maioria no emprego, no bairro, no clube.

Mas eu não volto atrás. Disse mil vezes pela vida inteira que odeio dupla caipira e confirmo. Apenas reconheço que os trios...

A ECOLOGIA DOS ANOS 50

Um boêmio dos anos dourados deu o primeiro brado

Preocupávamo-nos com o verde. Atraído pela decoração naturalista, meu grupo, naqueles anos dourados, frequentava o Jungle Bar, a Afrikan Boate e o Savage. A ambientação ecológica era ainda mais levada a sério, com rigor, no Jungle, onde, complementando o *décor*, as *girls* circulavam de tanga. Aí o contato com a natureza era mais direto e profundo.

Cláudio Curimbaba, que no horário da meia-noite às seis não havia quem não conhecesse na Vila Buarque, foi o primeiro de nós a influenciar-se pela volta à natureza, tema de muitos articulistas. Lembro-me da noite em que declarou aos rapazes do grupo:

– Estou me despedindo de vocês, *adiós*.

Havia sempre uma carga dramática quando ele dizia adeus em castelhano, correspondia a uma decisão inabalável.

– Vai casar?

– Vou. Com a natureza.

Pedimos-lhe que explicasse. Explicou.

– A cidade está me envenenando. É uma grande podridão. Chega. Vou passar um mês numa fazenda de amigos e talvez compre uma casa no campo.

– Disse no campo?

– Disse. Quero mato, bichos, oxigênio, paz. *Adiós*.

A saída precipitada de Curimbaba, quase uma fuga dos vapores tóxicos e fétidos da megalópole, deixou um vazio que nos desorientou. Difícil imaginar a noite sem ele. Famoso na madrugada, até inspirador de um romance memorialístico, era quem lhe dava o tom, a nota boêmia, e quem ciceroneava o grupo pelas veredas de asfalto. Concordamos que depois do referido *adiós* a noite poderia tornar-se uma chatice. Perderia totalmente a graça. Fomos dormir cedo.

Logo na noite seguinte, apenas para cumprir meu roteiro, passei pelo Club de Paris, na Araújo, e quem vejo sentado a uma das mesas tomando uma cuba-libre todo atento a um bolero que um pequeno conjunto executava? Não era ninguém parecido. Era ele mesmo. Cláudio Curimbaba. Assumi o formato de um ponto de interrogação e aproximei-me.

– O que faz aqui? Não se despediu ontem?

– Fui vítima de um desastre.

– Na estrada?

– Não, na fazenda.

Assim que chegou à fazenda, Cláudio começou a sentir-se mal. O ar, leve demais, sem octanas petrolíferas, excessivamente puro, provocou-lhe um desmaio. Seus acompanhantes tiveram de levá-lo às pressas a um barracão e, a pedido do agonizante, começaram a fumar ao mesmo tempo, enchendo o espaço de fumaça. Até quem não fumava atendeu ao pedido. Então, sim, nicotizado, pôde respirar melhor, recuperando as cores da saúde e a vontade de viver.

– Aí aconteceu o pior – contou.

– O pior?

Alguém inadvertidamente se lembrou de derramar-lhe pelas goelas um copo de leite. Tirado na hora, foi a tardia informação adicional. Ao sentir na garganta o líquido morno, pegajoso, animal, com o qual Curimbaba não mantinha contato desde seu aleitamento, tudo dentro dele se revirou, e o pobre moço da cidade, num brado ensurdecedor, como o de Tarzan, mal comparando, vomitou como nunca.

— Tive de permanecer horas no tal barracão à sanha de incríveis insetos voadores. Estou todo picado. Ah, o mato...

— E depois?

— Assim que pude, me bandeei para a rodoviária.

— Não a cavalo, espero.

— Uma alma caridosa me levou de charrete. É um veículo incômodo, mas não sei voar.

Outros do grupo foram chegando e pasmando. Curimbaba pediu que eu lhes contasse tudo. Não queria lembrar. O episódio do leite foi o que mais chocou. Alguém cuspiu.

Depois de ouvir a triste história, um dos nossos sugeriu:

— Que tal se fôssemos agora ao Amazona's Roof?

— Que lugar é esse? — perguntei.

— Um endereço novo. É formidável. Decoração ecológica. Tem até uma cachoeira. Servem coquetéis de frutas afrodisíacas. As *girls* se vestem de onça e serpente. Tudo bem natural, ao alcance das mãos.

Curimbaba sorriu, o que não se esperava dele aquela noite.

— O que estamos fazendo aqui, rapazes?

E na mesma noite reconciliou-se com o verde.

CUIDADO: É AGOSTO

Nem sempre o Dia dos Pais traz boas surpresas

Os romanos tinham em março o seu mês de azar. Cuidado, César, com os idos de março. Júlio não deu ouvidos, foi belo-belo ao Senado e aconteceu aquilo que todos nós vimos no cinema.

Um pouco de cultura não faz mal a ninguém, não?

Nós aqui temos um mês negro, marcado, este agosto, antigamente chamado mês de cachorro louco. Tive um tio que não saía de casa em agosto tanto era o receio de que um cão raivoso o atacasse. E, se tivesse mesmo de sair, usava polainas e levava bengala. Foi preso. Sim, preso por atacar um inofensivo pequinês que circulava. Em casa, agosto passou a ser chamado mês de tio louco.

Em minha infância, lembro que, induzido apenas pela rima, herança do parnasianismo, o povo dizia: agosto, mês de desgosto. As mães, prudentes, advertiam os filhos de que tivessem muito cuidado com tombos e atropelamentos. Talvez esse rifão ou mote, "Agosto, mês de desgosto", nem fosse brasileiro, mas português, como outros tantos ditos que atravessaram mares e gerações. De onde pensam vocês que vieram os palavrões?

A política brasileira está marcada pela síndrome agostiniana. Em agosto de 1954 o país todo parou varado pela mesma bala disparada pelo presidente que se suicidava. A morte de Vargas parecia lançar a nação em pleno caos. Mesmo os que combatiam o presidente ficaram apavorados. Um agosto acachapante.

Sete anos depois, outro agosto de inquietar: o da discutida renúncia do presidente Jânio Quadros, também precedida pela sensação de fim de mundo. Enquanto o já ex-presidente aguardava alguma reação popular no navio *Uruguay Star* que não vinha, o vice João Goulart esperava ansiosamente no Uruguai sinal verde para entrar no Brasil e assumir a Presidência. Surgiu, então, uma piada genial, maravilhosa, em forma de trocadilho, que operou o milagre de, pelo riso, abrandar as tensões de agosto: é preferível estar no Uruguai a no *Uruguay Star*.

Se os romanos tivessem o espírito brasileiro, com uma simples gozação salvariam César dos punhais, desmoralizando os agourentos idos de março. Quem perderia com isso, uns quinze séculos depois, seria Shakespeare, que não teria levado o drama histórico ao palco, e também os fabulosos cineastas americanos que tanto faturaram com a sangria.

Outro dia, um amigo, o Lobo, disse-me preocupado:
– Agosto vem aí.
O que queria dizer?
– Acha que vem algum terremoto de Brasília?
– Nada disso. Antes fosse só isso. Explico: em agosto, é o Dia dos Pais, o esperado Dia do Papai. Estou assustado.
Não entendi.
– Que susto pode dar uma data tão bonita?
– Você tem filhos?
– Não, mas mesmo assim curto o Dia dos Pais. Lembro-me de quando dei ao meu uma cadeira. A famosa cadeira do papai, a primeira grande promoção comercial que se fez nessa data. Foi emocionante ver meu velho sentadinho confortavelmente.

O Lobo não se comoveu nem um pouco.
– Acontece que tenho três filhos.
– Ótimo, receberá três presentes.
Era o que irritava o Lobo.
– Disse ótimo? Um deles quer me dar um microcomputador.

– Sempre achei que devia aderir à informática, Lobo.

– O segundo vai me dar uma prancha de surfe.

– E que mal há nisso? Você está precisando de praia e sol. A vida não é só trabalho.

E num tom ainda mais dramático o dito Lobo concluiu:

– E o terceiro está falando num *jet ski*.

– Invejo-o. Gostaria de ganhar um *jet ski*. Seus filhos são anjos!

Ele não se conteve e berrou o mais alto que pôde:

– Mas sabe quem vai pagar tudo isso, sabe? Eu, ouviu? Eu. E os presentes são para eles mesmos porque sabem que não tenho tempo para aprender informática, detesto surfe e tenho pavor de *jet ski*.

Desnaturado. Um pai desses não merecia receber presentes no Dia dos Pais.

SALVOS PELO ANJO DA GUARDA

Depoimentos dos que escaparam por um triz

Dizem que acidentados, diante da morte iminente, assistem em velozes fotogramas ao retrospecto da vida inteira. A afirmação vem diretamente da parte daqueles cujo anjo da guarda, cumprindo suas obrigações, salvou no último momento. Alguns quase se afogavam quando lhes atiraram a boia do milagre, uns já estavam cercados pelas chamas ao se aproximar o bombeiro com a mangueira, e outros despencavam em queda livre no espaço para aterrissar inesperadamente numa superfície fofa de paina ou cortiça.

– Foi como se virassem muito depressa as páginas de um álbum – explicou um banhista, arrancado das ondas, numa praia do Guarujá.

– Viu fotos dos parentes? – perguntou o repórter.

– Curiosamente, não. Vi gente que não pertence à minha família. Pato Donald, por exemplo.

– Por que o Pato Donald?

– E por que dom Pedro II e a atriz Elizabeth Taylor? Ah, por que o Washington Olivetto?

Intrigado com essa declaração, complicadora dos mistérios da mente, eu, um apaixonado pela imagem, decidi aprofundar qualquer coisa nessa direção, entrevistando outros sortudos amparados pelo anjo. Ignorava, confesso, aonde pretendia ir com esse estudo – provar, confirmar ou contraditar o quê? –, mas para quem possui o dom da pesquisa, meu caso, o trabalho em si é mais importante do que as metas.

– Como geralmente acontece, o senhor viu, naqueles breves momentos, o resumo de sua vida?

– Foi como um *trailer* de um filme já assistido – confirmou.

– Desde o instante de seu nascimento? – inquiri.

– Desde a... primeira refeição – registrou, embaraçado. – Porém, não era minha mãe quem me alimentava da forma aconselhada pelos médicos, mas Ritinha, manicura do Salão Paratodos, a cara da Luiza Brunet.

– O que mais viu enquanto dava a morte como certa?

– A mim mesmo entrando pela primeira vez na escola, posando para a fotografia na primeira comunhão, Humphrey Bogart despedindo-se de Ingrid Bergman no aeroporto de Casablanca, minha noite de lua de mel, um comercial de geladeira, Bebeto embalando seu filho após marcar gol na Copa e Marilyn Monroe naquela cena em que o vestido dela se levanta soprado pelos ventos do metrô. Lembra?

– O que mais?

– Rostos, muitos rostos.

– Identificou alguns?

– Claro, claro. Minha mulher, minha filha. Paulo Maluf inaugurando um túnel, Madonna, Renato Gaúcho...

Essas entrevistas deram rumo à minha pesquisa. No mundo atual, da mídia e multimídia, do bombardeio de imagens, através da TV, cinema, computador, jornais, revistas e *outdoors*, o que se vê é tão importante como o que se vive. Podemos gostar muito de um tio de Muriaé, mas ele não faz parte de nosso cotidiano, como Romário, Marília Gabi Gabriela, Daniela Mercury, Caetano ou aquele baixinho bebedor de cerveja. Se não nos lembramos direito da fisionomia de prima Alzira, quem esquece a pinta, os requebros de Carmen Miranda e aquele chapéu-cenário, todo de bananas, na cabeça?

Na verdade, o teipe de gravação dos fatos principais de uma existência, película do agrado dos esotéricos, foi quase totalmente dominado pelos comerciais da TV e pelos mais-mais da mídia. Não se morre como antigamente, preso às lembranças pessoais ou familiares. Alguém que ia sendo atropelado por um trem quando a mão do anjo o arrancou dos trilhos garantiu ter visto, nos derradeiros instantes, um urso tomando Coca-Cola, sua avó servindo uma caçarola de pipocas, Lair Ribeiro dizendo "vou mudar sua vida", Hortência cobrando uma falta no basquete e por último sua mãezinha do coração atirando-lhe um beijo, bonitinha num vestido comprado numa liquidação do Mappin.

O ROMANTISMO ESTÁ VOLTANDO

Há algumas evidências: a dança de rosto colado e os bolos de noiva

Ora, direis, ouvir estrelas?

Certa vez em que se falava de poetas e de vida particular, perguntei a Oswald de Andrade como Olavo Bilac era na intimidade. "Bilaquiano", respondeu prontamente o furacão do modernismo, que provavelmente nem conhecera Bilac de perto. Mesmo nos seus últimos dias, Oswald não perdia oportunidade de ridicularizar os poetas parnasianos e todas as manifestações mais adocicadas da poesia. Apesar dessa postura autopromocional, debochada, foi o maior romântico que conheci a olho nu, um homem de desataviadas paixões.

Disse-me, como quem conta um segredo, que amar, para ele, era tão importante que jamais faltara a um encontro amoroso para trabalhar num romance ou ouvir uma conferência. E no caso de se tratar de uma reunião política?, eu quis saber, lembrando a importância que o socialismo tivera numa fase heroica de sua existência. Uma dúzia de barbudos propondo salvar o país a altos brados é qualquer coisa de intolerável.

Andam dizendo agora que o velho romantismo está de volta, o que é uma grande esperança para todos nós. Mas é estranho, estranhável, estranhíssimo. Tudo vai mal, tudo. Do trânsito caótico aos preços nos supermercados. Há o desemprego, o retorno de certas endemias, agrava-se a crise da habitação, milhões de menores vagam sem lar, rolam pedras mortais em todos os morros, há até hotéis para sequestrados, *spa*, talvez, balas perdidas assassinam pessoas que dormem em seus apartamentos. Há corrupção ativa e passiva. No entanto estão dizendo que o ultrajado e ultrapassado romantismo, quadrado, tanto o rimado de Bilac quanto o vivido de Oswald, está de volta. Batendo à porta do século XXI.

Muitos, porém, desacreditam, argumentando que existe violência demais em toda parte, na Praça da Sé e no Líbano, na Candelária e na Bósnia. Esses, nascidos ontem, ignoram que nos anos de guerra, de 1939 a 1945, quando 50 milhões de pessoas foram mortas no mundo, o século viveu seu período de romantismo mais róseo e contagioso. Para contrabalançar os horrores da guerra, o amor.

A música que se fazia era *slow*, *sweet*; coloquial ou dançável, servia de pano de fundo para namorados juntamente com uma redondíssima lua de papel. Vozes aveludadas e fofas de Bing Crosby, Sinatra, Sablon, Orlando Silva. Nada de alucinadinhos infernizando os ouvidos.

Os filmes da guerra não exibiam monstros, e os Stallones de então eram mais namorados e sofisticados. E no geral também sabiam dançar. Havia os gângsteres, sim, mas costumavam vestir *smoking*, choravam com *O sole mio* e tinham cada loura...

A literatura fixava aqueles anos de perigo usando a tinta do romantismo. A ameaça do nazismo, o fim de todas as liberdades, estimulava a criação de milhões de histórias sempre tendo o amor na vizinhança da morte. Histórias de desencontros sob o bombardeio de cidades ou a partida de batalhões. Grandes paixões que sobreviviam à destruição de nações. Atração entre inimigos, o alemão e a francesa. Sobre a sonoplastia das batalhas o amor revitalizava. Quanto à poesia, mesmo modernizada na forma, refletia o romantismo emergente. Vinicius, Bandeira, Drummond. O alvo eram os sentidos. Até Oswald, o piadista, escreveu um belo poema à sua Maria Antonieta d'Alkimin.

Isso posto, não é impossível o retorno do romantismo ainda neste século. Há algumas evidências assinalando mudanças. Aumentou inexplicavelmente em todo o globo o número de casamentos. Tem-se notado maior quantidade de pinguins sobre geladeiras. Um novo tipo de radar localizou algumas virgens maiores de dezoito anos em diversos países. As doceiras andam felizes com os pedidos de bolos de noiva. O *rock and roll*, sintomático do fim do romantismo, já não comparece com frequência às paradas de sucesso. A poesia concreta esfacelou-se antes de se concretizar. O soneto, porém, está de volta. Quem diria! E também a coladinha. A saudosa coladinha que casava tão bem com Glenn Miller e Artie Shaw. Refiro-me à dança de rosto colado, pele sobre pele, respiração sincopada, quando as orquestras, mesmo com o salão lotado, tocavam só para dois.

AMENIDADES EM CONDOMÍNIO

O VIOLINISTA MORA AO LADO

Quando a arte se transforma em instrumento de tortura

A melhor coisa que não fiz na juventude foi versos. Parei no terceiro poema sob o aplauso geral das musas. Ainda hoje me orgulho dos maus versos que não fiz. Mas tem gente que não desconfia. Mesmo sem a menor vocação para isso ou aquilo, insiste. Conheci assim um violinista. Morávamos na mesma casa de cômodos. Eu estava solitário no quarto quando ele bateu à porta. Um homem alto de cabelos brancos com um esparadrapo na testa. Nunca havíamos sido apresentados. Trazia o violino debaixo do braço.

– Tenho notado que você é um rapaz muito sensível – foi dizendo ele, terno. – Gosta de música cigana?

– Cigana? – nem lembrava. – Adoro.

– São minhas prediletas. Conheço centenas.

E sacou logo a primeira. Tive imediatamente a impressão de ouvir os vagidos de um recém-nascido, em agonia, enforcado no cordão umbilical ou o choro de mil felinos órfãos perdidos na floresta. O som que ele arrancava do instrumento, arrancava, repito, era agudo e comprido, como as propriedades do puxa-puxa, lembram?, aquele doce elástico e grudento. E enquanto feria os tímpanos, sob ameaça de rompimento, provocava no estômago enjoo incontrolável, perto do vômito. Mas fora honesto: de fato conhecia centenas de canções gitanas.

Deitei na cama, a melhor posição para suportar o ataque. O sofrimento não aliviou muito. Continuava detestando aquele concerto que fazia nascer em mim um inédito sentimento racista: ódio aos ciganos. Trapaceiros, velhacos, ladrões de cavalos. Perdoem-me.

Enquanto ouvia, pensava na minha existência infeliz. Jovem, cheio de sonhos, mas subempregado, sem amores, sem amigos, morando numa mísera cabeça de porco, tinha ainda de aguentar aquele maldito e imprevisto violinista numa linda noite estrelada. Ele, porém, acertara numa coisa: eu era um rapaz sensível. Não pude conter uma lágrima sofrida.

O Paganini surpreendeu-a:

– Isso, era isso que eu esperava! – bradou. – Uma lágrima! Para mim é o maior elogio!

Essa cena dilacerante repetiu-se mais duas vezes naquela semana. Lembro-me de ter parado por uns instantes no Viaduto do Chá, onde, naqueles anos, era moda e quase um luxo suicidar-se. Menos dramaticamente, precisei arranjar dinheiro emprestado para mudar às pressas da pensão e escapar do virtuose. A outra era muito mais cara.

Outro caso de vocação malsucedida me faria sofrer muitos anos mais tarde. Já tinha livros publicados e não morava mais em pensões quando uma moça se aproximou de mim com jeito de flerte. Era bonita, estava bem-vestida e tinha automóvel. Pareceu-me conquista fácil.

– Vamos ao meu carro? – convidou.

Entramos, eu feliz.

– Belo carro! – exclamei.

– Não é o que eu queria lhe mostrar – disse ela. – Você é escritor, não?

– Escrevi alguns livrecos.

– Gostaria que desse sua opinião sobre um romance meu.

– Pois não – respondi em cima. – Está em seu apartamento? Vamos até lá. Tenho tempo de sobra.

– Ótimo. Mas não é necessário ir até lá. Ele está aqui – disse, já retirando com dificuldades um calhamaço do porta-luvas.

E leu. O livro todo. Três horas de chatice total, puro blá-blá-blá, no calor do carro parado. Tortura chinesa.

– Delicioso, não? E não acho uma editora que se interesse...

Passei por essa provação como um castigo pelas minhas más intenções. Esse fato e o anterior já haviam virado folclore quando outro dia, próximo à minha residência, alguém me segurou pelo braço.

– Lembra-se de mim?

O violinista zíngaro de vinte anos atrás.

– Evidentemente...

– Já o tinha visto. Somos vizinhos. O que me diz de visitá-lo amanhã com o violino?

CÃES DE APARTAMENTO

Há uma Gestapo agindo contra os bichinhos

Quem me conhece bem certamente conheceu Virgínia Ebonny Spots, que foi talvez a mais nobre e linda dálmata da cidade, descendente de campeões vitoriosos em inúmeras competições da raça. Posso ter uma ascendência modesta, meus avós eram imigrantes, mas minha cadela vinha de respeitável linhagem de cães britânicos, tendo seu avô conquistado importante medalha de ouro numa tarde inesquecível em que a própria rainha esteve presente.

Virgínia, nascida num canil do Jardim América, nunca competiu. Seu *pedigree*, porém, lhe dava ares de refinamento e fidalguia tão pronunciados que não seria exagero tratá-la de vossa excelência. Recebia minhas visitas urbanamente, gostava de pratos sofisticados, antes de dormir dava uma lambida de boa-noite nos presentes, e mesmo o gato do vizinho, sobre o muro, não despertava sua ira, mas simplesmente um silencioso e altivo desprezo.

Os vaivéns da sorte, o destino e seus lances provocaram uma mudança na minha vida e na de Virgínia, que viu trocada a cobertura por um apartamento modesto. Além do espaço limitado, que a obrigava a passar horas à janela, o último prazer de uma solteirona, teve de enfrentar a ameaça dos que não admitem a existência de cachorros em edifícios residenciais.

O meu amigo Cláudio Curimbaba, que também tinha uma cadela em seu apartamento, sua paixão, sofreu como poucos a pressão de um zelador chato. Queria que ele se livrasse do animal de qualquer maneira. Resultou numa ação judicial. Cláudio até chorou. Lágrimas que sugeriram ao seu advogado o temário da defesa: dependência afetiva. Não sei se o caso chegou a julgamento. O fato é que o dependente de um afeto e seu *cocker spaniel* viveram felizes até que a morte os separou.

A altiva Virgínia Ebonny Spots foi alvo dessa rasteira discriminação, mais comum no Terceiro Mundo. Aqui, onde a maior parte da população leva vida de cachorro, o amor aos cães é contraditoriamente muito menor e mais cercado de preconceitos. Qualquer latido fora de hora logo causa profunda irritação, e procura-se o zelador para que o regulamento seja obedecido. Parece haver uma Gestapo destinada a localizar cães em prédios de apartamentos. Argumentam que cachorros devem morar em casas onde não incomodam os vizinhos, zelar pela segurança dos donos ou trabalhar na Polícia Militar. Robôs da defesa do patrimônio. Se alguém lembrar que as crianças desenvolvem seus sentimentos e até seu físico brincando com os cachorros, rebatem dizendo que quase todo *videogame* tem cães na lista de personagens.

Virgínia, idosa, morreu antes que crescesse a implicância do edifício. Mas havia lá dramas iguais. Algum tempo depois bateram à minha porta. Era um vizinho do andar, seu Barcelos, que tinha uma pergunta aflita a fazer:

– O senhor tem ouvido latidos?

– Parece que ouvi de madrugada.

– É Janete. Minha *poodle*. Vive escondida no apartamento. Eu e minha mulher não vivemos sem Janete. Por favor, não apresente queixa.

– Pode ficar tranquilo. Adoro cães.

– Acha que os latidos foram ouvidos noutros apartamentos?

Os latidos de Janete eram bem agudos, desses que acordam na madrugada até os que têm sono de pedra.

Aconteceu o que o apavorado vizinho temia. Ouviram os latidos. O síndico me deteve à porta:

– Parece que tem cachorro no seu andar.

Desandei a rir, criando enigma e suspense.

– É no 26.

– Tem cachorro lá?

– Cachorro? – repeti, ainda rindo. – Não, absolutamente. Também pensei que tivesse. Fui enganado.

– Mas ouvi perfeitamente latidos nas últimas noites...

– Perfeitamente, sim. Seu Barcelos é um grande imitador de sons produzidos por animais. Cachorro até que não é sua melhor imitação. Nunca o ouviu imitar corvo e arara?

O síndico abriu um sorriso de relaxo.

– Arara? Duvido que imite melhor que eu. Vamos subir para o 26. Quero ver quem é melhor nisso.

O CAMINHÃO DE MUDANÇA

O mundo gira e a lusitana roda

A última vez que o caminhão de mudança parou à minha porta confesso ter chorado. Mudar de residência, nada mais traumático. Esqueçam o trabalho físico, aquilo de desmontar, empilhar e embalar dezenas de coisas, o aspecto braçal, quando tantos objetos frágeis se quebram. Falo da parte mais sentimental: pessoas que veremos com menos frequência, itinerários e hábitos que terão de ser alterados e mesmo o cenário visto da janela. Quando eu morava na Henrique Schaumann, via num imenso *outdoor* colorido um imponente *cowboy* montado num cavalo, a exibir famosa marca de cigarros. Acenei para ele, despedindo-me, como se fosse meu velho companheiro de *saloon*. Ao entrar na nova residência, abri a janela e no lugar da vistosa figura cinematográfica estava apenas um muro. Senti um triste vazio em branco e preto.

– Veja se não leva cacarecos – adverte minha mulher.

As mulheres sabem mudar melhor que os homens, assumindo a direção-geral com toda a praticidade.

– Levemos só o que é necessário.

A semana da mudança é todo um período de revisão. Para que levar aquela cadeira manca e a poltrona toda descorada? O quadro a óleo do *living* nunca passou de uma imitação barata de Cézanne! Trambolho. Ofereço sorridente, generoso, ao zelador.

– Um quadro de estimação, seu Jacinto.

Discos de 78 rotações, liquidificador quebrado, travesseiros, abajures, vassouras (as velhas dão azar) e sapatos muito usados são atirados num canto. E uma montanha de livros em brochura, desconjuntados. Adeus, Alencar. Perdoe, Macedo. *Sorry*, Somerset Maugham.

Há coisas menos materiais que também podem ser reavaliadas. Guardei durante anos umas cartas de uma namorada da juventude. O primeiro grande amor. Quanto as li e reli! Depois de décadas, às vésperas de uma mudança, abri uma à procura do antigo enlevo. Emocionante. Mas topo logo com uma desleixada caligrafia, enquanto calculo a idade que a apaixonada missivista então teria. "Desde que você está auzente..." Ausente com z! "Você bem sabe o quanto gosto de ti." Analfabeta! Como pude amá-la tanto, escrevendo desse jeito! E depois, guardar cartas de amor de uma senhora, já talvez com filhos e netos! Para quê? Para fazer chantagem? Jogo no lixo.

Recordo de outra mudança, também ligada a uma história de amor. Estava gamado por uma vizinha cuja família se transferia de São Paulo para o interior. Jurou que me escreveria assim que se instalassem. Só se casaria comigo e mais ninguém. Ah, quase me atirei sob as rodas do caminhão quando ele se afastou! Passei a contar horas e dias à espera de uma linha ou telefonema comunicando o novo endereço da ex-deusa da minha rua. Uma longa e sofrida espera até eu entender que quem muda de casa às vezes abandona também certas fixações sentimentais no lar antigo. Tem gente que esquece até o cachorro, o canário, o papagaio... E por que não um pobre coração?

Um vizinho, sabendo que eu me mudava, tocou a campainha e invadiu abruptamente meu apartamento com a mulher e os filhos. Os terríveis Maldonado! O quê? Tinham lágrimas nos olhos? Ó surpresa! Assistimos a um esparramado adeus, verdadeira cena de dramalhão teatral. Eu e minha mulher trocávamos olhares aparvalhados, não entendendo nada. Absolutamente nada. Em dez anos nunca foram amigos. Se ligávamos o som, telefonavam ao síndico protestando. Qualquer reunião com nosso grupo os irritava. Organizaram até abaixo-assinado implicando com o rádio, a televisão, a máquina de escrever, os latidos de meu cachorro e a voz de Salete, minha empregada, uma sambista compulsiva, porém afinadinha. Reconhecíamos que às vezes nós e nossas visitas nos excedíamos, mas eram intolerantes. E frios. Salete despencou da janela. Até gozaram o fato. Tentaram envenenar meu cachorro, o simpático Tonho Mascarenhas. E depois de tudo isso estavam lá como acreditando que não conseguiriam suportar nossa ausência. Caras de pau.

– Mas, seu Antero, vocês viviam reclamando contra nós. Deviam estar felizes com a mudança – explodi.

– E estamos, claro que estamos, felicíssimos – respondeu em cima.

– E essa choradeira?

– Barulho também deixa saudade, sabia? – explicou enxugando as lágrimas.

MINHA VIDA NA GARAGEM

Um desafio para os melhores manobristas

Engraçado, a julgar pelo tamanho da garagem, parece que todos os edifícios – pelo menos aqueles em que morei – foram construídos nos tempos do Romi-Isetta. Vou dizer por quê. O simpático Romi era pequenino, parecia ter apenas três rodas e porta... na frente. Esta, a da porta, uma inovação incrível da qual sinto saudade ao tentar entrar em meu carro, sempre espremido entre seu vizinho e a parede. Será que o (coloque aqui o palavrão que quiser) do arquiteto nem sequer imaginou que, naquele aperto, um condômino ou inquilino relativamente gordo só poderia entrar no carro untando-se com graxa? Ainda não cheguei a esse extremo, mas tenho de fazer constante regime para emagrecer, pedalar meia hora por dia na minha ergométrica e segurar a respiração na hora de me sentar à direção. Um furo a mais no cinto e a solução será a volta ao táxi, hoje uma nota pretíssima.

A batalha, porém, não termina no entra e sai do carro. É por onde apenas começa. Aquele (repita o palavrão ou escolha outro preferido) do arquiteto deve ser um espetacular manobrista, ou mesmo um artista do volante, capaz até de andar sobre duas rodas, tal é a exiguidade de espaço deixado para manobras. Se o ocupante da vaga tiver pressa, que a perca. Ele não vai ligar o carro e sair liso, não. Antes terá de concentrar toda a sua atenção para não bater no Santana ao lado e depois passar justinho entre o Escort e o Monza, que só saem a passeio nos fins de semana. E mais: a gente apenas sai da garagem numa boa se os carros estiverem milimetricamente alinhados em seus lugares. Mas nunca estão. Sempre há um dono de vaga descuidado ou zarolho ou que chegou meio balão na véspera e deixou o carro um palmo fora do lugar. E aí?

– A ordem é deixar os carros desbrecados – informa o zelador.

– Sorte. Quer me ajudar a empurrar o Caravan?

– Não adianta, esqueceram de soltar o breque.

O jeito é pedir ao zelador para chamar o proprietário. Esperar quinze minutos até que não é muito. Liga-se o rádio para ouvir as boas notícias da manhã. Ele afinal aparece emburrado, sem bons-dias e morto de sono. Encara o inconveniente vizinho com a maior má vontade. Ser acordado só para isso? Pronto. Feito o primeiro inimigo no edifício.

Num dos prédios em que morei tinha de entrar na garagem em marcha a ré, geralmente na escuridão. Dei cinco batidas num mês e levei três. Noutro havia uma rampa tão íngreme que assustava qualquer motorista com menos de dez anos de experiência. Uma querida vovó motorista despencou lá de cima. Fraturou a bacia.

Acontece que estacionar o carro na garagem é mais difícil que tirá-lo. Principalmente quando já lotada. Depois, volta-se cansado do trabalho, a cabeça tonta. Daí certas confusões. Certa vez eu apertava o controle remoto e nada de o portão abrir. Comecei a me irritar e a praguejar. Chegou o zelador.

– Esta droga de controle não funciona!

– Decerto – disse ele. – O senhor está usando o controle remoto da televisão!

Em todas as garagens de edifício há algumas vagas privilegiadas, alvos da inveja. Fácil acesso, nenhuma coluna na frente, moleza. É entrar e sair de olhos fechados. Alguém, discreto, diz em tom confidencial e velado que uma delas vai ficar livre. O ocupante, psiu, está de mudança. Mais discretamente, psiu, a gente se mexe para ocupá-la. Tudo na surdina, boca de siri. Logo, no entanto, vem a bruta decepção. Alguém, mais veloz no ato de tirar a carteira, esperto na arte de exibir certo objeto misterioso, também chamado de grana, bufunfa, arame, erva, jabaculê, caraminguás, tutu, tubos, numerário, já garantira a vaga para seu carro. Quem sabe o senhor tenha mais sorte na próxima, deseja o zelador.

Assim é nos Jardins, Pacaembu, Perdizes, Higienópolis. Quem compra ou aluga um apartamento de boa aparência, em bairros disputados, costuma se esquecer de um detalhe – a vaga que lhe cabe na garagem. Costumo cometer esse erro. Exausto, resolvi livrar-me definitivamente das manobras. E de forma elegante, romântica. Troquei de carro e dei as chaves para minha mulher.

– Tome, o carro é seu, mel. Queria ter um, não? Você só terá de me dar carona às vezes.

Um perfeito cavalheiro no geral se sai bem das chateações.

O PINGO

Confusões hidráulicas no meio da noite

Um escritor famoso, já falecido, entrevistado por mim, como jornalista, disse-me em tom de confissão e mágoa:

– Todos me imaginam sempre concentrado no preparo de livros e conferências. Infelizmente, não é verdade. Gasto a maior parte do tempo com problemas domésticos como, por exemplo, acidentes hidráulicos do meu apartamento. Canos que furam, torneiras que gotejam, ralos que entopem, válvulas que soltam, privadas que vazam. Não é com intelectuais que mais converso ou discuto, é com encanadores.

Quando ele me disse isso pareceu-me exagero ou implicância de velho, já sem paciência para nada. Eu só iria lembrar-me de sua confissão muitos anos depois, quando acordei certa madrugada com um pingo, gota ou porção mínima de qualquer líquido. Quase imaterial. Ele só muda de *status* e conteúdo quando requerido para ser pingado nos is. Aí, mais que figura ortográfica, passa a agente da verdade, pequenino, mas super, superpingo, com força para recolocar as coisas em seus devidos lugares.

No caso presente, falo de mero pinguinho, composto de hidrogênio e oxigênio, água, portanto, que só se tornou mais notável pela pontaria, minha testa, e pelo horário, o meio da noite. Como eu andasse preocupado com um romance interrompido, aproveitei o silêncio da madrugada para bolar novas ideias. E de fato me fixei numa que me pareceu criativa. Levantei-me, pela manhã, a caminho do computador, com a crença de que Deus, bom, pingara sobre mim um de seus fluidos salvadores. Desinibidamente, toquei para a frente um capítulo inteiro da história emperrada.

Na madrugada seguinte, todavia, outro pingo. Inesperado, certeiro, geladinho. Um novo jato inspirador vindo de onde? Por que eu, que não frequentava igrejas e pouco rezava, mereceria tanta colher de chá, assim por via tão direta? Acendi a luz do quarto. Ah! Localizei pequena mancha de umidade no teto. Certamente não de origem divina. Acordei minha mulher, assustado.

– Veja! Está pingando!

– Calma. É um mal paulistano. Todos os nossos canos são furados.

– O cara aí de cima vai ter de dar um jeito – esbravejei, novamente alvejado.

Na manhã seguinte, subi as escadas disposto até a brigar por causa dos pingos, embora o primeiro tivesse sido de grande valia. Apertei a campainha. Uma solitária empregada informou-me que o patrão viajara com a família. Japão. Japão? Japão.

A hidráulica tem seus mistérios. Apenas à noite o teto pingava. E sempre depois que eu pegava no sono. Assim que fechava os olhos, pim, o pingo. Minha mulher, penalizada, trocou de lado. Meu trabalho, ponderou, exigia uma noite bem-dormida. Inútil. Ele também mudou de lugar. Decidi dormir no escritório. Apesar do sofá, duro, incômodo, passei uma noite razoável. Disse uma. Na segunda, o vazamento voltou. No escritório, sobre o sofá. Com inovações: ora três pingos ligeiros, só para marcar presença, ora um pingão, gordo, arrogante, molhadão. Resolvi regressar ao quarto, mas pondo a cabeça no lugar dos pés. Posição invertida. Assim, não era acordado por pingos geladinhos no rosto. Atchim! Acordava espirrando. Não há quem suporte umidade nos pés. Dormir onde? Ordenar à empregada que se ajeitasse no banheiro? Instalei-me na sala. Lá também pingava, mas havia espaço para me proteger. Coloquei uma bacia sob a goteira. As terríveis gotinhas já não me afetavam, diretamente.

Não tardei, porém, a sofrer a tortura do som. Ficava acordado à espera dos pimpins. A sonoridade do recipiente de metal proporcionava, estranho, um prazer neurastênico. Aquela trilha sonora criava dependência. Procurei um psicoterapeuta, que receitou:

– O senhor não precisa de mim, precisa de um encanador.

A solução desesperada pingou: minha internação numa clínica. O colapso estava à porta. Campainha. A empregada de cima.

– Meu patrão voltou do Japão.

Depois de uma semana de marteladas no andar superior, em consertos hidráulicos, acabaram-se as goteiras. Recolhidos os baldes, naquela noite fui para a cama em paz. Apenas fui. Insônia cruel. Minha mulher então teve uma ideia feliz. Encheu um conta-gotas e pimpim em minha testa. Adormeci logo. É o que me faz dormir há dez anos.

O BURACO

Um drama no bairro que terminou em flores

Eu não queria escrever esta crônica, mas ela aconteceu, se impôs, mostrou-se. Nasceu ali, sob minha janela, no asfalto, nesta São Paulo outrora cheia de encantos mil e inspiradora de poetas locais e em trânsito. A princípio, a coisa de que falo tinha o tamanho de uma cuspida ou de uma moeda. Brilhava ligeiramente. Muita gente teria se curvado para apanhá-la. Mas, como tudo cresce neste planalto, logo a moeda assumiu a proporção de um pires, de um prato, da circunferência de um caldeirão, enquanto se arredondava caprichosamente e afundava alguns centímetros. Não tardou que um carro o evitasse, hora e dia em que o ponto referido se tornou definitivamente um buraco. Não mais uma depressão, uma falha do calçamento, uma ilusão de ótica, mas, como já dito, um buraco, embora discreto, modesto afundamento.

Essa fase, porém, foi passageira. Ele tinha um destino mais ambicioso. Alargou-se e aprofundou-se depressa. Suponho, foi logo oficialmente identificado, catalogado, numerado, descrito, para mais tarde constar, nas listas da Prefeitura, entre os que deveriam ser tapados. Uma organização muito ativa e diligente opera esse trabalho.

Dias depois tínhamos a primeira vítima: uma velha senhora atravessava a rua descuidada quando enfiou o pé no buraco e caiu urrando de dor. Teve de ser erguida por duas pessoas, a chorar, posta num táxi e levada talvez para um pronto-socorro. Do meu escritório, à janela, principalmente se chovesse, eu ouvia quando os pneus passavam por ele e os carros sacolejavam. Alguns quebravam e lá ficavam. Outros seguiam com o motor fungando. Ouvia, inclusive, os protestos dos motoristas, expressos em palavrões muito ofensivos às autoridades. Feio, isso.

– Se não tomarem providência, isso vai se tornar uma cratera – comentou Bina, minha mulher.

Cratera. Essa palavra me impressionou porque sempre a liguei a grandes desníveis do solo, terremotos, regiões pedregosas, vales, desertos e mesmo a cenários lunares e marcianos. Tem o som das hecatombes e das paisagens exóticas. Ia proibir Bina de proferi-la, mas ela a repetiu, pondo à mesa do almoço todas as ameaças que a cratera contém, como a de tragar casas, edifícios e viadutos. A cratera é uma boca insaciável. Mata, engole, digere.

Aquela noite tive um pesadelo abrangendo todo o bairro de Perdizes. O ex-buraco, já uma cratera, crescia incontrolavelmente. Meu carro não saía da garagem, mas da própria abertura subterrânea. A cratera virava caverna pré-histórica, e nós do quarteirão, Brucutus e Ulas, vivíamos espremidos entre o sol e as trevas. Acordei, e Bina informou-me: uma comissão de vizinhos tinha um pedido aflito para fazer. O que eles pretendiam?

Perfilados e revoltados, queriam que eu, jornalista, escrevesse um artigo ou crônica sobre o buraco. Imediatamente. Matéria forte, capaz de conclamar a atenção das autoridades. E que não poupasse ninguém. Nada de sutilezas. Paciente, tentei explicar que, em minha coluna, não cabiam queixas, protestos, reivindicações, posicionamentos de nenhuma natureza. Não fora criada para isso.

– Minha única preocupação é entreter o leitor, diverti-lo, fazê-lo rir de qualquer coisa ou de nada, entenderam? Meu intento profissional é levá-las a esquecer as mágoas deste mundo, entre as quais os buracos da rua.

– Conhecemos sua página – disse um deles, indignado. – Garanto que ninguém aqui esqueceu de buraco algum por causa de suas gracinhas. Passe bem.

Acompanhei o grupo decepcionado até a porta. Surpresa. Operários, apressados, fechavam o buraco ou cratera. Bina sorriu ironicamente.

– Quem vocês pensam que pediu para a Prefeitura resolver o caso? Quem?

Baixaram a cabeça. À tarde, a doce Bina recebeu flores.

BIBLIOGRAFIA

(Dados da última edição de cada título)

ROMANCES E NOVELAS

A arca dos marechais. São Paulo: Ática, 1985.
O último mamífero de Martinelli. São Paulo: Ática, 1995.
Fantoche!. São Paulo: Ática, 1998.
Mano Juan. São Paulo: Global, 2005.
A última corrida. São Paulo: Global, 2009.
Esta noite ou nunca. São Paulo: Global, 2009.
Entre sem bater. São Paulo: Global, 2010.
Café na cama. São Paulo: Global, 2011.
Memórias de um gigolô. São Paulo: Global, 2011.
Malditos paulistas. São Paulo: Global, 2012.
Ópera de sabão. São Paulo: Global, 2013.
Os cavaleiros da Praga Divina. São Paulo: Global, 2015.

CONTOS

Melhores contos Marcos Rey. São Paulo: Global, 2005.
O cão da meia-noite. São Paulo: Global, 2005.
O enterro da cafetina. São Paulo: Global, 2005.
O pêndulo da noite. São Paulo: Global, 2005.
Soy loco por ti, América!. São Paulo: Global, 2005.

CRÔNICAS

O coração roubado. São Paulo: Global, 2007.
Melhores crônicas Marcos Rey. São Paulo: Global, 2010.

LITERATURA PARA CRIANÇAS

Não era uma vez. São Paulo: Moderna, 1996.

LITERATURA PARA JOVENS

Diário de dezembro. São Paulo: Ática, 1985.
Um cadáver ouve rádio. São Paulo: Ática, 1985.
Garra de campeão. São Paulo: Ática, 1989.
Corrida infernal. São Paulo: Ática, 1990.
Quem manda já morreu. São Paulo: Ática, 1990.
Um rosto no computador. São Paulo: Ática, 1993.
Gincana da morte. São Paulo: Ática, 1997.
O menino que adivinhava. São Paulo: Ática, 1998.
Dinheiro do céu. São Paulo: Global, 2005.
Enigma na televisão. São Paulo: Global, 2005.
O mistério do 5 estrelas. São Paulo: Global, 2005.
O rapto do garoto de Ouro. São Paulo: Global, 2005.
Sozinha no mundo. São Paulo: Global, 2005.
12 horas de terror. São Paulo: Global, 2006.
Bem-vindos ao Rio. São Paulo: Global, 2006.
Na rota do perigo. São Paulo: Global, 2006.
O diabo no porta-malas. São Paulo: Global, 2006.
A sensação de setembro – Opereta tropical. São Paulo: Global, 2010.
Os crimes do Olho de Boi. São Paulo: Global, 2010.
Um gato no triângulo. São Paulo: Global, 2010.
Diário de Raquel. São Paulo: Global, 2011.

ENSAIO

O roteirista profissional. São Paulo: Ática, 1989.

PARADIDÁTICOS E DE DIVULGAÇÃO

Habitação. São Paulo: Donato, 1961.
Os maiores crimes da História. São Paulo: Cultrix, 1967.
Proclamação da República. São Paulo: Ática, 1985.
Brasil, os fascinantes anos 20. São Paulo: Ática, 1994.
Muito prazer, livro. (Obra póstuma e inacabada). São Paulo: Ática, 2002.

AUTOBIOGRAFIA

O caso do filho do encadernador. São Paulo: Global, 2012.
Os homens do futuro. São Paulo: Global, 2014.

Marcos Rey foi traduzido na Argentina, Estados Unidos, Espanha, Noruega, Alemanha, Finlândia, Japão e Rússia.

Impresso por :

gráfica e editora

Tel.:11 2769-9056